Bekroond met
een Zilveren Zoen (2007).

KWAAD BLOED

ANDERE JEUGDROMANS VAN MARITA DE STERCK BIJ QUERIDO

Op kot (2002) Prijs van de Kinder- en Jeugdjury Vlaanderen 2003
Met huid en haar (2004) Zilveren Zoen 2005, Provinciale Prijs voor Letterkunde voor een jeugdboek 2005, Prijs van de Kinder- en Jeugdjury Vlaanderen 2006

Marita de Sterck

KWAAD BLOED

Amsterdam Antwerpen
Em. Querido's Uitgeverij B.V.
2006

Wie van zoete liedjes houdt,
Ik verkies ze liever zout!

Hendrik Tollens: Proeve van minnezangen

Her pure and eloquent blood
spoke in her cheeks,
and so distinctly wrought,
that one might almost say,
her body thought.

John Donne: Of the Progress of the Soul, Second Anniversary

Voor Naomi en Priyanka en Sanne en Liesbet en Marthe en de anderen.

Met dank aan Wim Bosmans van het Muziekinstrumentenmuseum in Brussel en aan Roger Hessel,
onvermoeibare verzamelaars van Vlaamse volksliedjes.

WEL MOSSELMAN?

'Wie slaapt? En wie is wakker?'
Sliep ik of droomde ik met wijdopen ogen?
'Emma, waar zit je?' vroeg mijn moeder een keer of honderd per dag, terwijl ze met haar vingers voor mijn ogen knipte. 'Wie te veel droomt groeit niet meer.'
Maar het was niet mijn moeders stem die vroeg wie wakker was. Waar was ik? Thuis lag zus naast me in het grote bed, thuis kon ik vanuit ons bed het raam zien, thuis stonken de dekens niet naar zure melk.
'Niemand slaapt hier de eerste nacht.'
Ik wist niet wie die woorden fluisterde, maar ze had wel gelijk. Ik was niet de enige die probeerde om geluidloos haar neus te snuiten. Links en rechts van me piepten en kraakten andere bedden, kuchten en zuchtten andere mensen. Veel bedden, veel mensen.
Het begon me te dagen: kostschool, slaapzaal, tachtig meisjes, elk meisje in een hokje. Chambrettes noemden ze die hokjes hier, kleine kamertjes. Dat klonk mooier dan het was: geen echte muren of plafond, maar vier houten wanden, geen raam of deur, maar een opening met een dun gordijn ervoor.
Vanonder de dekens gluurde ik naar boven. Boven de houten scheidingswand wiebelde een hoofd.
'Ik ben Bie. Als je ook op je bed gaat staan, kunnen we praten.'
Dus mijn linkerbuurvrouw stond op haar bed naar me te

kijken. Haar ogen blonken in het bleke licht van de nachtlampen. Toen de grote lichten uitgingen en de gordijnen dicht mochten, dacht ik echt dat ik eindelijk alleen was. Maar misschien werd ik de hele tijd al bekeken? Toen ik mijn nachtkleed aantrok en bijna omviel, omdat ik daaronder mijn uniform probeerde uit te trekken, want dat moest hier in die volgorde. Toen ik water uit de stenen kruik in de kom goot en me probeerde te wassen zonder mijn nachtkleed nat te maken. Toen ik zo stil mogelijk plaste in die lelijke pot en hem daarna voorzichtig onder mijn bed schoof. Toen ik na een uur weer uit bed sloop om droge zakdoeken te zoeken.

'Kom je?'

Ik fluisterde zo stil als ik kon: 'Nee.'

'Als je hier alleen maar doet wat mag, kun je evengoed dood zijn.'

Dat zou kunnen kloppen. Er was zoveel verboden op deze school dat mijn hoofd ervan duizelde. Ik zou jaren nodig hebben om alle regels en voorschriften te onthouden. Maar zo lang wilde ik hier echt niet blijven. Voorzichtig ging ik rechtop zitten.

'Na twaalven snurkt zuster Josepha luider dan ons dikste varken.'

Ik dacht dat ik de ketel van de verwarming hoorde ronken, maar dat was dus zuster Josepha in de chambrette aan het eind van de gang.

'Zolang ze ronkt, zijn wij veilig. Kom je, Emma, of zal ik je komen halen?'

Zou Bie dat durven?

Voorzichtig krabbelde ik overeind in bed. Ik trok me op aan de rand van de houten wand. Ik moest op de toppen van mijn tenen staan om erbovenuit te komen.

'Ga op je kussen staan.' Bie had haar dikke blonde vlechten losgemaakt. Ze liet haar haren om haar hoofd dansen.

'Losse haren, losse zeden!' riep zuster Josepha gisteren,

toen we in de rij stonden om onze uniformen te laten keuren. Een paardenstaart was niet goed genoeg, lange haren moesten muurvast gevlochten worden tot er geen spriet meer bewoog. Zelf droeg ze een zwarte kap waar geen plukje haar onderuit kwam. Ik wist niet wat losse zeden waren, maar dat ze heel erg verkeerd waren, dat werd wel duidelijk. Nu eens sissend, dan weer met haar tong klakkend trok zuster Josepha tijdens de inspectie mouwen over polsen, rokken over knieën, kousen tot onder rokken. Ze peuterde met haar benige vingers tussen kraagjes en nekken en telde de bandjes op onze schouders. 'Altijd een onderhemd én een onderkleed, meisjes.' Ze maakte het bovenste knoopje van mijn bloes dicht tot de kraag in mijn nek beet. 'Waarvoor dienen knopen?'

'Wat als zuster Josepha ons betrapt?'

Bie legde haar handen om mijn oor: 'Het kolenhok, de voddenkelder, de bloedzolder...'

Het kon niet anders of daar zou het nog erger stinken, nog harder kraken, nog donkerder dan donker zijn.

'Heb je haar ooit al eens zien lachen?'

'Zuster Josepha mag stront zien dansen, dan nog zal ze niet lachen.'

Voor het eerst sinds ik hier was, moest ik een beetje lachen. Omdat ik het voor me zag en omdat Bie zomaar hardop een woord uitsprak dat ik thuis nooit mocht gebruiken. En dan had vader nog gezegd dat ik op deze school extra op mijn taal moest letten.

'Mag ik meelachen?' Boven de andere wand verscheen een hoofd met donker haar dat alle kanten uitstak.

'Als je maar weet dat Emma van mij is, Mirjam!' Bie trok me dichter naar zich toe.

Mijn voeten schoven van mijn kussen, mijn kin tikte tegen de harde rand.

'En ze gaat mee.'

Hoe bang ik ook was, ik durfde geen nee te zeggen. 'Waarnaartoe?'

'Naar de enige plek met een echte deur én een echt plafond én plaats voor zeven.'

'Wat gaan we daar doen?'

'Praten.'

'Waarover?'

Bie drukte haar lippen tegen mijn oor. Elk woord plofte zacht en warm mijn oorschelp in. 'Over wat meisjes weten.'

'En jongens niet?'

'Alleen als wij het ze zeggen. Trek kousen aan en kruip onder je gordijn door. Niet openschuiven. Dat piept en kraakt als zuster Josepha.'

In het licht van de melkwitte nachtlampen zag de slaapzaal er nog reusachtiger uit dan overdag. Tachtig chambrettes waren er op onze slaapzaal waar de meisjes van twaalf tot vijftien jaar sliepen. Tien hokjes plakten telkens met hun zijkanten tegen elkaar aan, zodat ze één ononderbroken rij vormden. Elke rij stond rug aan rug tegen een andere, zodat de achterkant van de ene rij ineens ook kon dienen als achterkant van de andere. Ik wou dat ik een chambrette op een hoek had, maar ik had er een middenin een rij, met een buur links, rechts én achter. Het duizelde me als ik eraan dacht dat er vijf slaapzalen waren op deze kostschool, samen goed voor vierhonderd meisjes.

Bie legde haar hand in mijn nek en kneep zachtjes. 'Van ten twaalven tot ten een, is de duivel op de been.'

Vader beweerde met klem dat de duivel niet bestond maar was uitgevonden om de mensen bang te maken. Hij had makkelijk praten, hij lag thuis, veilig in zijn eigen bed.

Ik greep Bie's hand. Ze kneep terug. Ik hoorde een ruisend geluid bij het buitenraam, of er tien vogels tegelijk probeerden te landen.

'De engelen komen ons te hulp gesneld.' Bie sloeg haar

arm om mijn schouder. 'Maar Emma heeft al een engelbewaarder.'

Mirjam probeerde me los te trekken. 'Wil je de laatste van de klas met de vuilste mond als engelbewaarder? Pas maar op, Emma, stoute meisjes branden in de hel.'

'Ik wijs Emma de weg naar de hemel. Kijk naar mij, Emma, en doe wat ik doe.' Bie schuifelde door de gang, haar handen voor zich uit. 'Steek je armen naar voren en knijp je ogen dicht!'

'Waarom?'

'Slaapwandelaars mag je niet wekken. Je moet ze voorzichtig naar hun nestje terugleiden. Dat weet zelfs zuster Josepha.'

Het gesnurk klonk nu luider en dichterbij. Bie legde haar vinger op haar lippen. Muisstil slopen we verder. Boven een dik gordijn brandde een groene lamp. Er hing een bordje naast: 'Niet storen, tenzij bij ziekte en gevaar.'

Bie en Mirjam knielden en gebaarden me hetzelfde te doen. Bie tilde het gordijn voorzichtig een stukje op. Op het bed deinde een reusachtige berg dekens. Er stak een hoofd uit met een grijze muts op. Van het haar van zuster Josepha was ook nu geen spriet te zien. Of zou ze kaal zijn? Zelfs in haar slaap kneep ze haar mond samen tot een zuinig streepje dat even flapperde bij elke snurk. De schaduw boven haar lippen leek nog donkerder.

Had ik het gisteren dan toch goed gezien? Had ze echt een snor? Ook vader kon het niet laten om telkens weer naar die plek te staren. Hij keek bezorgd, of hij zich afvroeg of ik ook een snor zou krijgen als ik hier te lang zou blijven.

De wenkbrauwen van zuster Josepha vormden samen één duimdikke streep, zoals bij de holbewoners die op de geschiedenisplaat op grote beenderen kauwden. Zo oud kon ze natuurlijk niet zijn, ook al zei vader dat kloosterzusters veel ouder werden dan gewone mensen omdat ze niet echt werkten.

Ik kon me niet voorstellen dat er onder die berg dekens een lichaam als het mijne lag, een lijf van vlees en bloed. Tijdens de rondleiding gisteren gleed zuster Josepha als een reusachtige opwindpop door de gangen en zalen, of ze geen voeten maar wielen had. Schoenen kreeg je niet te zien onder dat lange, zware kleed. Kin, mond, neus, ogen, een reepje wang aan elke kant, meer bloot was er niet. Haar handen stopte ze in haar lange mouwen. Vader en ik konden haar nauwelijks bijbenen.

'Meneer Dekempeneer, vanaf vandaag kunt u op uw twee oren slapen. Voor jonge meisjes is er geen veiliger plek op aarde,' verzekerde ze. 'Hier kan Emma niets overkomen.'

Vader zuchtte opgelucht: 'Mijn jongste is zo klein en zo onwetend. Ze gelooft nog echt in sprookjes.'

Zuster Josepha bekeek me van top tot teen. 'Zoals uw dochter werd afgeleverd, braaf en gaaf, zo krijgt u haar weer terug. En wat die sprookjes betreft: die lijken onschuldig, maar ze leiden tot intellectuele zwakte en al te veel nutteloze opwinding. We leren haar hier wel passender verhalen.'

Na de rondleiding sloeg ze een vuistdik boek open. Met vaste hand schreef ze: Dekempeneer, Emma, geboren 15 mei 1946.

Ik slikte tot mijn keel zeer deed. Nu ik in het boek stond was er geen weg terug. Daarna ging alles snel. Een vlugge kus van vader. 'Braaf zijn, prinses. Tot over een maand.' En weg was hij.

Toen de grote buitendeur dreunend dichtsloeg, draaide zuster Josepha die dubbel op slot en liet de sleutel tussen de dikke plooien van haar kleed glijden. Zakte hij tot in haar onderbroek of droegen zusters geen onderbroek?

Ik had nog nooit zo'n vreemd wezen gezien. En daar liet vader zijn prinses bij achter. Hij kon me evengoed het woeste woud in sturen: 'Dit is het bos, verdwaal hier maar ...' Ik voelde me tien keer kleiner dan Duimelijntje die in een notendop paste, honderd keer droeviger dan Sneeuwwitje die met de jager mee moest, duizend keer banger dan Roodkapje die de wolf in grootmoeders bed vond.

'Mee,' zei ik in stilte tegen de gesloten deur, 'neem je prinses alsjeblieft weer mee naar huis. Hier is niets dat ook maar een beetje aan thuis doet denken. Ik snap geen woord van wat ze zeggen. Ik ken geen enkel sprookje waarin zulke griezels rondlopen. Het kan niet anders of een maand duurt hier langer dan een eeuw. Dit overleef ik niet.'

Maar de deur bleef dicht.

Het snurken stokte. Als zuster Josepha haar ogen nu open zou doen, zou ze recht in de mijne kijken. Binnenin de berg borrelde water, of iemand de stop uit de wasbak trok en alles leegliep.

Mirjam rolde met haar ogen en vormde met haar lippen het woord: 'Weg!'

Op hun kousen schaatsten Bie en Mirjam over het parket. Ik probeerde hetzelfde te doen zonder geluid te maken. Aan de andere kant van de slaapzaal bleven we staan. Ik trok mijn hand uit die van Bie en veegde hem af aan mijn nachtkleed. Mijn hart klopte in mijn keel. Ik moest hier weg. En gauw. Het was gevaarlijk om die twee te volgen. Maar alleen zou ik de weg naar chambrette nummer 73 nooit terugvinden.

Mirjam duwde tegen de grote buitendeuren. 'Ooit schudden we de sleutels uit haar kleed. We rennen naar buiten, de wijde wereld in, en dan begint het feest.'

Mirjam en Bie gooiden hun armen in de lucht en draaiden geruisloos rondjes op hun kousen. Ze waren niet alleen een hoofd groter, ze hadden ook haartjes onder hun armen, en borsten die meedansten. Net als zus.

Ze pakten me vast en draaiden me rond. 'Plat als een plank. Is Emma te jong of een jongen?'

Sneller en sneller stroomde mijn bloed, het bruiste en kolkte. Hete vlammetjes duwden en prikten tegen de binnenkant van mijn huid tot ze er doorheen kropen. Niet alleen mijn wangen en hals, maar ook mijn nek en schouders gloeiden. Ik bloosde zo hard en zo lang dat het pijn deed.

'Wie plat blijft vindt geen man en moet het klooster in.'

Zou dat waar zijn? Ik dacht dat het zware kleed al wat zacht en rond was verstopte, maar misschien viel er bij kloosterzusters niets te verstoppen?

Bie fluisterde in Mirjams oor, maar ik kon elk woord horen. 'Blozen kan ze, maar zuster Miserie kent ze nog niet.'

Zat die hier ook in het klooster? Er waren een stuk of veertig zusters en ik had er nog maar een dozijn te zien gekregen. Hun namen klonken als die van de Merovingers: Wisigonda, Rigoberta, Roswitha, Isidora... Wie heette nu zuster Miserie? Die naam beloofde niet veel goeds.

Mirjam en Bie tikten op het kleine bruine deurtje naast de grote buitendeur. Mirjam fluisterde door het sleutelgat. 'Wie klopt? En wie mag binnen?'

Het deurtje ging open. Tussen de emmers, de borstels, de dweilen, de bezems en de mattenkloppers zaten vier meisjes, dicht bij elkaar, onder één deken.

'Wat zijn jullie laat.' Een mollig meisje scheen met een zaklamp in mijn ogen.

Waar verstopten ze die zaklampen? Ze stonden bovenaan op de lijst met verboden dingen, boven snoep en speelgoed en spiegels en al wat diende om gezicht en lichaam nodeloos te versieren. Zelfs de fijne gouden armband met mijn naam erop die ik van grootmoeder had gekregen, had ik thuis moeten laten. Voor mij was dat helemaal geen nodeloze versiering. Zonder die armband zag mijn pols er kaal en leeg uit en voelde ik me minder Emma.

Bie duwde me de bezemkast in. 'Maak plaats voor Emma.'

Er was nauwelijks nog een plekje vrij, maar ze duwden en schuifelden tot we er alle zeven in pasten en de deur dicht kon en we allemaal een stukje deken hadden. Er drukte een bezemsteel in mijn rug, er zat een arm om mijn schouder, er plakte een hand tegen mijn been en er lag een voet op de mijne. Sinds ik te groot was om op schoot te mogen, had ik niet meer zo dicht bij andere mensen gezeten.

'Niet flauw doen,' zei vader als ik nog eens op zijn schoot wilde kruipen, 'daar worden meisjes slap en week van.' Zelfs zus en ik lagen in ons grote bed niet zo dicht bij elkaar.

'Emma!' Bie keek me plechtig aan. 'Welkom bij je zusters. Die andere noemen we hier nonnen.'

Bie richtte haar zaklamp op mijn buurvrouw. 'Dit is Berta. Als je ouders varen moet je wel op kostschool.'

In de lichtbundel leken Berta's wangen nog breder, haar ogen nog smaller. Een kattengezichtje had ze, of ze elk moment zou gaan spinnen. Hoe zou het zijn om op een boot te wonen? Zou Berta het geklots van het water missen, zoals ik het getik van onze hazelaar tegen ons slaapkamerraam nu al miste?

Het licht verschoof naar het volgende meisje. 'Karlien mocht kiezen: thuis de stal uitmesten of op kostschool.'

De schuine straal maakte een griezelig masker van Karliens zachtroze sproetige gezicht. Een stal uitmesten leek me echt smerig, maar op dit moment zou ik de vuilste karweitjes opknappen om maar naar huis te mogen. Ik wou dat ik ook had mogen kiezen, maar mij was niets gevraagd. Van de ene op de andere dag werd mijn koffer gepakt en veranderde mijn leven compleet. Als ik moeder mocht geloven had ook zij geen keus gehad. 'Er zit niets anders op, Emma,' zuchtte ze. 'Thuis kun je niet meer blijven.'

Karlien was nog groter dan Bie en haar borsten zagen er nog ronder uit. Vader zei dat meisjes op een boerderij sneller groeiden dan goed voor ze was.

'Dat is Silvana. Haar moeder en grote zus zaten hier ook, haar tante non werkt in de keuken.' Silvana keek of ze ook geen keuze had gehad. Maar zij had misschien al van tevoren geweten wat haar hier te wachten stond.

'Daar zit Julia, zonder moeder.'

Julia haalde haar duim niet uit haar mond en bleef met haar wijsvinger over haar neus wrijven. Toen ze dat gisteren onder het bidden deed, gaf zuster Josepha er een tik op. Dat vond ik toen al vals, maar nu vond ik het nog gemener. Toen de duim uit Julia's mond vloog, zag ik dat haar tanden schots en scheef stonden, rondom een gat, en dat haar neus ook zonder wijsvinger schuin bleef staan. Haar moeder zou dus wel al heel lang dood zijn.

Ik knikte naar Julia. Wat kon ik zeggen? Hoe is het gebeurd? Ik hoop dat je vader nog leeft? Wat heb je mooie ogen?

'Mirjam heb je al gezien.'

'Mijn moeder gaat mee op zakenreis als ik hier ben.' Mirjam schudde haar vuist. 'Maar op een keer loop ik weg en ga ik zelf naar Parijs en Londen en Berlijn. En waarom Bie hier zit weet iedereen. Dag en nacht hing ze rond bij de melkmeiden en de stalknechten, tot haar praatjes nog harder stonken dan varkensmest.'

Thuis mochten zus en ik niet met boerenkinderen spelen. We mochten ook niet praten met de melkboer, de bakkersknecht, de beenhouwer, de marktkramers, met Louise die onze vloeren dweilde en onze ramen zeemde, en met Jef die onze bomen snoeide en ons gras maaide.

'Zeg ja of nee of alstublieft of dankuwel, maar verder niets,' zei vader. 'Ze zijn anders dan wij. Ze zeggen onfatsoenlijke dingen, soms zonder het zelf te beseffen, omdat ze niet lang genoeg naar school gingen en niet beter weten.'

Maar als ik Louise of Jef iets hoorde zeggen dat ik ook begreep, klonk dat meestal slim en grappig.

'Waarom ben jij hier?' Bie scheen met de zaklamp in mijn

ogen. Iedereen keek naar mij. De hitte beet weer eens in mijn hals en mijn wangen. 'Mijn zus is ziek.'

Mirjam schoof een eindje op. 'Misschien is het besmettelijk. Als ze melaats is vallen haar vingers en tenen eraf. Bij cholera braakt ze haar darmen eruit.'

Silvana legde haar hoofd op mijn schouder. 'Besmet mij maar. Ik word nooit ziek, niet met uien onder mijn armen, niet met een halve rol wc-papier in mijn maag, niet als ik hartje winter met natte haren bovenop mijn deken slaap.'

Verrast keek ik op. 'Mag je naar huis als je ziek bent?'

'Alleen als je halfdood bent, of als je een doodzonde begaat.'

'Wat is een doodzonde?'

Ze doken onder hun deken. Ik hoorde ze snuiven en proesten. Alleen Julia deed niet mee. Vanboven haar duim keek ze me peinzend aan. Ik voelde me dommer dan dom. Niets wist ik over doodzonden en duivels en engelen en heiligen. Hier zaten ze overal, maar thuis of op mijn oude school had ik er niets over geleerd.

'Daar doen wij niet aan mee,' zei vader. 'Alleen wie te weinig verstand heeft stopt zijn hoofd met die onzin vol.'

Tot zus ziek werd en ik hals over kop naar een school moest die Maria Maagd en Moeder heette en waar alle meisjes ook nog dochters van Maria waren. Alleen al in de ontvangstkamer hier stonden en hingen er meer heiligen dan ik in mijn hele leven bij elkaar had gezien.

Met een rood hoofd kwamen ze weer boven.

Bie glunderde. 'Je weet echt niets, hè? Geeft niet, ik leer je alle zonden kennen. Heb je al eens bier of wijn geproefd?'

Ik schudde mijn hoofd. Ook al wilden ze thuis niks weten van doodzonden, dit vonden moeder en vader vast en zeker niet goed. Hoe dikwijls had ik ze niet horen zeggen: 'Als de wijn is in de man, is de wijsheid in de kan.'

Maar hier gaf Mirjam zomaar een kannetje door. Ik rook er voorzichtig aan. Het troebele vocht schuimde en stonk naar rotte appels. Ik durfde er niet van te drinken, maar Bie en Mirjam en Karlien namen grote teugen. 'Wil je het recept?'

Ik nipte voorzichtig van de lichtroze drank die na het kannetje in een glas de ronde deed. 'Is dit nu wijn?'

Karlien knikte. 'Min of meer, meer min dan meer.'

'Neem en drink, dit is mijn bloed.' Bie tilde de voet van het glas op zodat ik een hele teug naar binnen kreeg en moest hoesten. Misschien waren Bie en Mirjam en Karlien al dronken want ze wiegden heen en weer en zongen:

Over de bergen, voorbij de oceaan,
mijlen en eeuwen hiervandaan,
in het land van Sjakkamakka,
waar de apen honing kakken,
waar de pompen en fonteinen,
spuwen biertjes en spuiten wijnen.

Een eeuwigheid geleden sprongen zus en ik touwtje op een liedje dat ook zo begon en dat we nu vreselijk kinderachtig vonden. Maar hier zongen ze het anders en er zat een vuil woord in dat we thuis nooit mochten gebruiken.

Bie stootte me aan. 'Vertel eens wat we in dat bed zagen liggen? Een pinguïn, heks of vleermuis?'

Iedereen keek weer naar me. Ik aarzelde. 'Een heks?'

'Bank vooruit en kus van de juffrouw.' Bie tuitte haar lippen. Verwachtte ze een kus? Maar ik kende haar nauwelijks. Ik kuste moeder bij het slapengaan, en zus en vader en grootmoeder en grootvader met Nieuwjaar of bij verjaardagen. Verder werd er bij ons niet gekust. Ook daar werden meisjes flauw en week van. Hun benen werden van pap, hun vingers van water en hun hoofd liep leeg.

Maar Bie ging gewoon verder, of ze niets had gevraagd.

'Ooit waren de nonnen meisjes, zoals wij. Zelfs zuster Josepha.'

Dat kon ik me echt niet voorstellen. Zij, een meisje? Maar een jongen kon ze toch ook niet zijn? Waren de nonnen geen van beide? Of iets ertussenin?

Ik had nog nooit iemand helemaal bloot gezien. Alleen de achterkant van zus. De achterkanten van jongens en meisjes waren hetzelfde, de voorkanten niet, zoveel wist ik. Ergens halverwege de onderkant moest er een lijn lopen vanaf waar het verschillend werd. Zoiets als de evenaar die de aarde in tweeën verdeelde. Rond de evenaar is het bloedheet, had ik op school geleerd. En er woeden verschrikkelijke stormen. Als ik aan mijn evenaar dacht, kreeg ik het al warm en stak er ook een storm op. Hoe anders zou de andere kant van de evenaar bij jongens zijn? En bij nonnen?

'Emma, waar zit je?' Bie knipte met haar vingers voor mijn ogen.

Ik was niet zo dom om de evenaar te noemen. 'Waar slapen de andere nonnen?'

'In het grote nonnenbed, bovenop de hoge nonnenberg.' Bie boetseerde een berg met haar handen. 'Raad eens waar moeder bovenste ligt?'

Deze keer lachte ik met de anderen mee. Ik zag de stapel nonnen voor me. Bovenop de berg lag de sprietige moeder-overste die vader gisteren verzekerde dat deze school een vesting was, een slot, een burcht, een fort. 'On-in-neembaar!' Je kon niet anders dan haar geloven want zo zag ze er zelf ook uit, van top tot teen in het harnas.

'Zuster Josepha mocht er niet meer bij, omdat ze te hard snurkte. Wil je het hele verhaal horen? Hoe ze zo is geworden?'

Ik knikte. Links en rechts van mij zakte iedereen lekker onderuit. Ik kon niet anders dan hun bewegingen volgen. Muurvast zat ik in de kring. Met de kou was ook mijn angst verdwenen. Als ze dat deurtje zou opentrekken, zou zuster Josepha één klomp meisjesvlees vinden, samengesmolten, niet meer te ontwarren. Als ze één meisje uit de bezemkast zou trekken, zouden we alle zeven opveren. Als ze er één zou knijpen, zouden we allemaal onder de blauwe plekken zitten. Wat er nu ook zou gebeuren, we waren samen en bleven samen.

'Lang geleden, toen de kikkers nog konden praten, heette zij Jozefien. Jong en glad en mooi was ze, niet één haar onder haar neus, niet één wrat op haar kin.'

De zinnen rolden eruit of ze al honderd keer verteld waren. En waarschijnlijk was dat ook wel zo. Acht jaar zat Bie hier al op school. Als ze elke volgende klas ook zou overdoen zou ze hier nog vier jaar zitten. Zonder de grote vakanties waren dat veertig maanden en meer dan duizend dagen! Om de vier weken mochten we anderhalve dag naar huis, van zaterdagmiddag tot zondagavond. Ik kreeg buikpijn als ik eraan dacht dat ik hier nog zevenentwintig nachten moest blijven voor ik één nachtje naar huis mocht en dan weer terug moest.

'Elke ochtend huppelde Jozefien met haar bal naar de vijver. En alles huppelde mee.'

Allemaal wipten ze op en neer. Tegen mijn armen danste mals warm vlees. Kriebels renden van mijn elleboog tot mijn schouders en terug, als mieren. Met hun felle pootjes holden ze nu ook al over mijn rug, zelfs over mijn buik. En wat mijn buik voelde, dat voelde ik altijd dubbel, nee, tien keer zo hard.

'Jozefien gooide haar bal te wild en te ver. Een kikker keek toe hoe de bal naar het midden van de vijver dreef. "Breng je hem terug?" vroeg Jozefien. "Het water is zo koud en er drijft glibberige smurrie in. Wie weet wat dat is..." "Ik!" kwaakte de kikker. "Ik haal je bal als je me een kus geeft en een hapje en een plek in je bed." Jozefien knikte en ving de bal. Maar toen de kikker naar haar toesprong, gilde ze. "Bah, wat ben je koud en slijmerig." '

Onder mijn stuk deken streek er iets kouds en nats over mijn arm. En ik kon mijn arm niet bewegen.

Mirjam giechelde: 'Gooi die smerige dweil weg, Bie. Plaag Emma niet zo, vertel verder.'

'De kikker smeekte: "Ik ben zachter en warmer dan je denkt. Laat me in je bed en je komt in de hemel." '

Ik wist niet van wie de vingers waren die nu mijn knie streelden. Ook toen ze stopten, bleven de mieren over mijn benen rennen en over mijn armen, mijn rug, mijn buik. Het moest stoppen, nee, het mocht niet stoppen. Ik wist niet wat ik wilde. Wat als er op de mierenpoten mierenbeten zouden volgen?

'Emma, kijk en luister naar de grotere meisjes,' zei moeder toen ze mijn koffer dichtklapte. 'Doe na wat zij doen, zeg na wat zij zeggen.' Maar dit kon ze toch niet bedoeld hebben?

Bie scheen met de zaklamp in mijn ogen. 'Wat ben je mooi als je bloost. Waar waren we gebleven?'

'In de hemel.' Was dat mijn stem die zo schor klonk?

Bie slaakte een diepe zucht. 'Natuurlijk wou Jozefien in de hemel komen zonder dood te zijn. Maar ze durfde niet te doen wat de kikker vroeg. Ze liep weg. Met elke stap groeide er een haar op haar lip en een pukkel op haar wang. Haar borsten krompen tot erwtjes. Platter dan het platteland was ze.'

Bie trok mijn stukje deken naar beneden. Iedereen staarde naar de plek waar mijn borsten zouden zitten als ik ze zou hebben. Het was gemeen, even vals als op Julia's duim slaan, maar dat durfde ik niet hardop te zeggen. Julia en Berta lachten niet met de anderen mee, maar ze hielden ze ook niet tegen. Ze bestudeerden hun nagels, zoals moeder deed telkens als vader zus de huid vol schold.

Ik wilde niet huilen, ik mocht niet huilen, niet nu ze zo dicht bij me zaten en naar me staarden, niet nu ik muurvast zat in die kring. Naalden prikten in mijn keel en achter mijn ogen. Ik wist niet dat niet huilen zo zeer kon doen.

Ik haalde opgelucht adem toen Bie verder vertelde en iedereen weer naar haar keek. ‘Uitgeput klopte Jozefien op een grote donkere poort. Er ging een klein raampje in de poort open. “Ik ben moederoverste. Wie ben jij? Wat is er met je gebeurd?” “Een kikker,” prevelde Jozefien. “Je hebt hem toch niet gekust?” riep moederoverste. “Van kussen komt niets goeds!”’

Hoewel ze niet echt op elkaar leken, klonk de moederoverste uit Bie’s verhaal nu een beetje als vader.

‘Jozefien zwoer op haar snor en haar pukkels dat ze nooit zou kussen. Ze mocht blijven. Alles in Jozefien verdroogde en werd harder dan glas. Elke dag leerde ze iets bij op de nonnenschool. “Goed zo,” zei moederoverste. “Zuster Josepha kan zelfs een kei het vel afstropen!”’

Ze trokken aan mijn nachtkleed en knepen me waar ze konden. Ook al zou ik morgen onder de blauwe plekken zitten, niemand zou het kunnen zien onder dat uniform. Toen zus met een rode vlek in haar nek thuiskwam, zagen ze het wel. Ik moest van zus vertellen dat ik haar had geknepen. Moeder gaf me op mijn kop, maar vader keek met gefronste wenkbrauwen van mijn smalle vingers naar de brede vlek en terug.

Julia kneep niet mee. Ze nam haar duim niet uit haar mond. Haar lieten ze met rust, mij niet. Iedereen had het op mij gemunt en Bie nog het meest. ‘Vertel eens, Emma. Heb jij al gekust?’

Ik aarzelde, familie telde waarschijnlijk niet mee. Maar Bie wachtte niet op een antwoord. ‘Witte paardjes vreten geen boerenstro. Droom je van een koningszoon? Of wil je wie iedereen hier wil?’

Ze wou dat ik het vroeg, dus deed ik het maar. ‘Wie is dat?’

Bie straalde. ‘Het duivenjong.’

‘Zijn duivenjongen niet kaal en lelijk?’ Had ik maar niets gezegd. Ze lachten me weer eens in mijn gezicht uit. Thuis en op mijn oude school waren er ook geheimen. Om de haverklap brak er wel een volwassene zijn zin af met: 'Niet waar het kind bij is!' Maar hier zweefden er duizend keer meer geheimen door de lucht. Zou ik ooit ook maar de helft te weten komen van wat de anderen hier wisten?

Bie sloeg haar arm om me heen. 'Emma is nummer zeven. De bezemkast is voor zeven gemaakt. Zeven brengt geluk: zeven planeten, zeven dagen, zeven geitjes, zeven dwergen, zeven deugden, zeven doodzonden, zeven zusjes. Dubbel geluk als nummer zeven de kleinste en de mooiste is.'

Dat ik de kleinste was kon ik zelf ook wel zien, maar de mooiste? Daar geloofde ik niets van. Bie's haar was dikker dan het mijne, Karliens huid rozer en zachter, Julia's ogen waren mooier, Berta's lippen voller, Silvana's benen langer en Mirjams oren kleiner en platter. En iedereen, behalve Julia en ik, had al een beetje borsten. Karlien en Bie hadden de grootste. Net als zus trokken ze hun schouders naar achteren zodat hun borsten nog meer naar voren staken. Zou ik dat ook durven, als ik er ooit zou hebben? Vergeleken bij de anderen was ik een sprietige kabouter met zeiloren. Er moest een andere reden zijn waarom ze mij er per se bij wilden.

Bie pakte mijn kin en dwong me om haar aan te kijken. 'Van wie droomt zeven? Van Lange Wapper? Van het vissertje in het riet? Van de mosselman? Wat roept hij dan?'

Het antwoord leek zo eenvoudig dat ik het er ineens uitflapte: 'Mosselen te koop.'

Ze propten stukjes deken in hun mond. Bie snoof. 'Ik zei het toch: dat kind weet echt van niks! Met haar erbij lachen we ons dood.'

Julia haalde haar duim uit haar mond en drukte haar handen tegen haar oren terwijl de anderen zongen:

Wel mosselman, wat roept gij dan?
't Is dat ik het niet goed horen kan.
Ik roep: zet uwe ketel gereed,
dan stook ik uwen oven heet.

Het was al laat toen we uit de bezemkast kropen en naar onze kamertjes slopen. Bie dook mee onder mijn gordijn door. Ze trok het laken op tot mijn kin en fluisterde in mijn oor:

Het kindeke gaapt, het engeltje waakt.
't Vertellen is gedaan, nu schoon slapen gaan.

'Wat betekent het?'
'Dat je nu je oogjes dicht moet doen.'
'Nee, wat betekent het liedje van de mosselman?'
'Wat de woorden zeggen.'
'Jullie lagen krom van het lachen, ik niet.'
'Hoe kun je tegelijk zo slim en zo onnozel zijn?'
Boos draaide ik me om. Op mijn vroegere school was ik wel de eerste van de klas en Bie was hier toch maar de laatste.
'Heb je het warm?'
Daar antwoordde ik niet eens op.
'Het warmste plekje is de oven, dat weet het kleinste kind. Hou je van me?'
Nog nooit had iemand me dat gevraagd. Kon je al na één dag van iemand houden? Bie was niet eens familie en lief kon je haar niet echt noemen. Maar zou ik het hier een maand uithouden zonder iemand om van te houden? Ik had Bie nodig. Zonder haar was ik hier verloren. Zonder haar wist ik nog minder dan niks. En wie wist waartoe Bie in staat was als ik nee zei.
Ik mompelde. 'Mmmm.'
'Je moet zeggen: met heel mijn hart en ziel.'
Onder het laken kruiste ik mijn vingers. 'Met heel mijn hart en ziel.'

Een vederlichte kus danste over mijn lippen. 'Dan zal ik je alles vertellen, alles wat meisjes moeten weten. Niet bang zijn. Late haver komt ook op.'

Bie verdween onder het gordijn. Even later piepten de veren van haar matras. Ze snurkte zachtjes. Nee, ze deed alsof. En Mirjam knorde giechelend terug.

Met mijn armen om mijn kussen probeerde ik naar huis te reizen, naar de keuken waar moeder 's avonds laat alles klaarzette voor het ontbijt. Per ongeluk zette ze ook mijn bord met mijn servet op de tafel. Ze moest huilen toen ze bedacht dat ik niet thuis zou ontbijten. In het grote bed sloeg zus haar armen om mijn kussen. 'Emma, ik mis je zo.'

Als ik doodziek werd of een doodzonde beging, zou ik terug naar huis mogen. Ik wou niets liever, maar thuis leek mijlen en eeuwen ver weg hiervandaan, over de bergen, voorbij de oceaan.

STREEP, STREEP...

'Spelen, meisjes! Niet stilstaan, bewegen.' Zuster Rigoberta floot tussen elke lettergreep op een metalen fluitje. Van de andere kant van de speelplaats echode zuster Josepha terug. 'Spe-tuut-len-tuut!'

Het was geen gezicht, nonnen die met bolle wangen op fluitjes bliezen. Als ze nog harder zouden blazen, zouden ze opstijgen als een luchtballon en dan zou iedereen kunnen zien wat er onder hun rokken zat.

Mirjam stootte me aan. 'Dromen mag hier niet.'

Dat mocht thuis ook niet. Vader zei dat meisjes die te lang met open ogen droomden op den duur niet meer wisten wat echt was of verzonnen en dat zoiets heel gevaarlijk kon zijn.

'Wat wil je spelen?'

Op mijn oude school speelde ik nog het liefst met de kleintjes, maar die hadden hier een aparte speelplaats. Op deze speelplaats zag ik niemand touwtjespringen. Ook al was ik er te groot voor, ik hield van de korte harde tik van het touw tegen de grond, van het springen, van de kracht die door mijn benen stroomde, van de blik van de meisjes die met het touw draaiden en probeerden om het ritme van mijn benen te volgen. Na vier keer draaien bestond er niets anders meer op de wereld dan het zoeven van touw en liedje. 'Een, twee, Em doet mee. Uit, spruit, Em springt uit.' Bie zou waarschijnlijk wel iets anders zingen bij het touwtjespringen.

Op deze speelplaats zag ik niemand verstoppertje spelen. Er

was ook geen verstopplek te vinden, of misschien één: achter de stam van de grote lindeboom in het midden. Waarschijnlijk mocht dat ook niet, want zuster Rigoberta zei dat wie zuiver en rein was niets te verstoppen had.

'Vinden jullie elastiek springen kinderachtig?'

'Dat is verboden.' Mirjam gluurde naar de zusters. Ze floten de andere kant uit. Mirjam rolde de band van haar donkerbruine plooirok drie keer om tot haar knieën vrijkwamen. Ze deed of ze over een kniehoog elastiek sprong. 'Kun je mijn mooie knieën, mijn nog mooiere benen en mijn mooiste broekje zien?'

Ik zag van alles een stukje. Ze had nog langere benen dan zus en prachtige knieën, maar haar onderbroek zag er niet echt fris uit.

'Als je zou struikelen...' Mirjam deed of ze over haar eigen voeten struikelde.

Het fluitje snerpte. In minder dan een seconde liet Mirjam haar rok zakken en haar kousen klimmen. Zuster Josepha zwaaide met haar vuist, maar ze bleef staan waar ze stond.

'Echt scherp ziet ze niet op zo'n afstand.'

'Wat als je per ongeluk zou struikelen?'

'Valt een meisje op de grond, zie je misschien haar blote kont!'

'Wie loopt er nu zonder onderbroek rond?'

'Een gevallen vrouw.'

Volgens vader kon een gevallen vrouw nog beter dood zijn omdat de mensen schande over haar spraken. Dat was volgens vader het allerergste wat een meisje kon overkomen. Dan was haar leven voorbij.

'Als mijn onderbroeken op het einde van de maand te vuil zijn loop ik liever zonder. Hoeveel onderbroeken heb jij?'

Ik twijfelde. 'Vier.' Er was een slechte bij die ik met een veiligheidsspeld moest vastmaken, anders zakte hij af, maar dat vertelde ik niet. Als ik die ook zou gebruiken had ik er genoeg om de maand op school door te komen.

'Wat gebeurt er als je in de turnles zou vallen?'

'Je moet een lange turnbroek aan, onder je rok en je schort.'

Ik kon me niet voorstellen dat je goed kon turnen zo. Maar de turnles stelde hier toch al niet veel voor. Ik had al gehoord dat zuster Wisigonda met een stok op een bord wees wat je moest doen terwijl ze zelf niet één beweging maakte. Spijtig. Ik hield van turnen op mijn oude school, waar onze turnjuf soms in de touwen klom als we beloofden om het thuis niet te vertellen. Ik hield altijd mijn hart vast. Als ze maar niet zou vallen.

Ik struikelde bijna toen er bruusk aan mijn mouw werd getrokken. Zuster Rigoberta kneep in mijn bovenarm, door mijn schort en mijn trui en mijn bloes heen. 'Nooit met twee, meisjes, nooit met twee...'

Ik stak beleefd mijn vinger op. 'Waarom?'

Ze keek me vernietigend aan. 'Weet jij dan echt niks? Of doe je alsof? Kijk me aan als ik praat! Wie mij niet recht in de ogen ziet heeft iets te verbergen. Denk je dat ik je zondige gedachten niet kan zien?'

Ik schrok van haar priemende, donkere blik. Wat als ze echt kon zien wat ik dacht? Wat als ze nu merkte dat ik gisteravond van de wijn had geproefd? Wat als ze wist dat de mieren in bed nog urenlang over het warmste plekje hadden gerend? Wat als ze mijn dromen van de voorbije nacht kon lezen? Wat als ze echt elke scheve, kromme, vuile, verboden gedachte kon zien? Ook de gedachten waarvan ik zelf niet eens wist dat ze fout waren, maar zij natuurlijk wel.

'Duivelskind.' Mopperend wandelde zuster Rigoberta naar zuster Josepha terug.

'Nooit met twee, want dan doet de duivel mee,' fluisterde Mirjam.

Ik snapte er niets van. 'Nooit met twee,' riep vader naar zus als ze op de markt met een jongen stond te kletsen. Maar hier waren toch geen jongens?

Ik staarde naar zuster Rigoberta en zuster Josepha die met hun brede kappen tegen elkaar aan hoofdschuddend stonden te smoezen. Ook al kon ik ze niet verstaan, ik voelde wel dat ze geen fijne dingen vertelden. Deed bij hen de duivel mee?

'Niet bang zijn, Emma. Ze kunnen niet in ons hoofd gluren, hoe graag ze dat ook zouden willen. Onze dromen zijn van ons. Kijk eens naar mij.'

Ik keek naar Mirjams zachte donkere ogen, naar de ondeugende glimlach op haar smalle lippen, naar de plukjes haar die uit haar vlechten probeerden te springen.

'Kun jij zien waar ik nu aan denk?' Haar glimlach werd een grijns. 'Je moest eens weten.'

Dus ik was niet de enige die met wijdopen ogen droomde. Dat je van te veel dromen niet meer groeide en slap en week werd kon niet kloppen. Mirjam was stevig en sterk, en ze stond geen seconde stil.

Mirjam trok me mee naar de anderen. 'Wie speelt er mee jagersbal?'

Karlien zuchtte. 'We mogen niet rennen. Dan is er niks aan. Tenzij de bal over het hek vliegt en het duivenjong hem terugsmijt. Laat Emma gooien.'

Ik staarde naar de stevige zwarte tralies die de speelplaats van het park scheidden. Als er echt ergens een paradijs bestond, dan zouden daar ook zoveel struiken en bomen en bloemen zijn, dan zou daar ook een grote vijver in de zon blinken. Zuster Ursula had over het paradijs verteld, over de slang die tegelijk duivel was, over de eerste vrouw van de wereld die zich zo makkelijk liet verleiden om ongehoorzaam te zijn, over de zondeval en de vreselijke straffen en smarten die daarop volgden. Ik had echt geen goesting om te geloven in een God die zo oneerlijk was om één onnozele zonde zo zwaar te bestraffen.

Boven de boomtoppen draaide een zwerm vogels rondjes. Nu vlogen ze over onze speelplaats, hun vleugels gestrekt. Als je goed luisterde kon je ze horen ruisen. Was dat het geluid dat ik vannacht had gehoord? Hoorde je geruis, voelde je een lauw windje als het niet waaide, streek er een zachte vinger over je huid terwijl je heel alleen was, dan was die ene speciale engel die voor je zorgde, bij je. Ik vond engelbewaarder een prachtig woord. In zo iemand wilde ik wel geloven, ook al zei vader dat engelen belachelijk waren. Belachelijk of niet, geen tralies, geen hekken, geen deuren hielden de engelen tegen.

Zweefden de engelen ook samen, op een vleugellengte afstand van elkaar? Kozen ze zelf hoe ze vlogen, wanneer ze hun vleugels uitsloegen, wanneer ze zwenkten, stegen of daalden, of was er een engel die alles stuurde?

Ik snapte niet waarom de duiven hier in de buurt bleven en er niet als de bliksem vandoor gingen. Ik wist wel zeker dat ze me de weg naar huis zouden kunnen wijzen. Als ik nu hard rende en met mijn armen sloeg tot ze draaiden als de wieken van een molen, dan zou ik vliegen. De duiven zouden me eventjes plagen omdat ik stomme vragen stelde, maar ze zouden me algauw het beste vliegplekje geven, in het midden. Ik zou de wind in mijn haren voelen en lekker verse lucht ruiken. Geen geuren van krijt, vuile dweilen, zure melk, mottenballen, rotte kaas. In de hele school was er geen plek te vinden waar het niet stonk. Het ergst stonk het op de trap tussen de slaapzaal en de zolder, het minst op de speelplaats, maar zelfs daar rook het muf.

Drie keer zou ik met de duiven rond ons huis vliegen voor we in de hazelaar zouden landen. Als ik tegen ons dakraam zou tikken, zou zus uit bed komen, het raam openmaken en roepen: ‘O, een lief duifje.’ Met elke kruimel brood die zus me zou voeren, zou ik een veer verliezen tot ik weer een meisje zou zijn dat door het raam kroop en in het grote bed gleed en zus vroeg om te vertellen waarom ze zo erg moest huilen dat ze er ziek van werd.

Ik schrok toen ik tastende handen voelde.

Bie gniffelde. 'Ik ben de blindenvrouw en ik voel kuikenvlees.'

Het fluitje snerpte: 'Handen thuis!'

'Ken jij het spelletje handen thuis, Emma?'

Ik knikte. 'Hoelahoep.' Als we op mijn oude school met de hoepel speelden, riepen we: 'Hoelahoep, handen thuis!' en gooiden we onze armen in de lucht. De hoepel moest dan om onze buik blijven draaien zonder dat we hem met de handen aanraakten.

Ze kwamen om me heen staan. Ik kon mijn tong er wel afbijten. Dat spel vonden ze vast en zeker veel te kinderachtig.

'Met de reep spelen vinden de nonnen nog erger dan elastiek springen.' Bie verstopte zich achter Mirjam en zwaaide met haar heupen, of ze een hoepel wilde laten draaien. Dus een hoepel noemden ze hier een reep, dat woord gebruikten wij thuis alleen voor een stuk stof of chocolade.

Bie's dikke uniformrok golfde om haar benen. Ze had even mooie knieën als Mirjam. Ik wist niet waarom, maar ik vond knieën prachtig. Hoe ze konden buigen en strekken. En nu ik op deze school geen knie meer te zien kreeg, vond ik de weinige die ik zag nog mooier.

Bie liet de hoepel sneller en sneller draaien, of ze wereldkampioen hoepelen wilde worden.

Streep, streep, en onder hare reep,
heffen de meiskens hun rokskes op
en wassen ze hun gat met zeep.

Schommelend wandelden zuster Josepha en zuster Rigoberta naar ons toe.

'Ze komen,' fluisterde Bie. 'Vlug, naar de boom!'

Ik liep gauw achter de anderen aan. Ze vormden een kring rond de lindeboom. Julia haalde haar duim uit haar mond en liet me ertussen. Ik voelde een kletsnatte duim in mijn hand, maar dat kon me niets schelen, als ik maar in de kring mocht.

Ze draaiden traag rond de boom en glimlachten naar het kleine huisje dat tegen de stam hing. En dat was dan niet kinderachtig? Het huisje leek op het nestkastje voor de mezen dat in onze tuin hing. Maar voor de ingang en op het dak lag een kleine bol prikkeldraad. De vogel die daar zou landen zou zijn pootjes snijden. Wie deed zoiets?

Er was ook geen plaats meer voor een vogel in het huisje. Een beeld van een vrouw met een blauwe rok vulde het van vloer tot dak. Haar kende ik intussen wel. Ze hing in de klas, op de slaapzaal, in de refter, in de gangen... Soms met een kind dat ook nog de zoon van God was, soms zonder kind, soms glimlachend, soms triest.

'Wat doet Maria in de boom?'

Bie keek naar zuster Josepha en zuster Rigoberta, maar die kwamen niet zo snel vooruit.

'Op een dag zat Maria op de hoogste tak. De lindeboom beefde, zo blij was hij. Maar de nonnen brachten Maria terug naar de kapel. Maria miste de vogels, de wind, de schors, de blaadjes, de geuren en vooral het zachte beven. Elke ochtend vonden de nonnen haar op de hoogste tak. Na maanden over en weer verhuizen gaven ze het op. Maria mocht bij haar boom blijven, niet op de hoogste tak maar in een kapelletje tegen de stam. Elke nacht kruipt ze eruit om op haar tak te gaan zitten. Je moet het ook eens proberen, Emma. Van op de hoogste tak kun je de zee zien, en de zeemeermannen.'

'Wat vertel je daar allemaal, Bie?'

'Emma kende het verhaal van Maria's hemelvaart nog niet, zuster Josepha.'

'Het is toch niet hemelvaart, Bie! Dat was bij Jezus die zelf ten hemel steeg. Maria daarentegen werd met lichaam én ziel door God in de hemel opgenomen. Daarom zeggen we: de ontslaping van Maria of Maria ten Hemel opneming. Je moet het wel goed vertellen. Jullie moeten Emma ook alle Marialiedjes leren.'

Ik zong na wat de anderen zongen: 'O Maria, schoon en rein, zoals U willen wij zijn.'

Zuster Rigoberta knikte goedkeurend. 'Goed zo, Emma, je leert het allemaal wel, ook al kom je uit een goddeloos nest. Als je maar goed oplet en precies zingt wat de andere meisjes zingen.'

Uit haar mond klonk 'goddeloos nest' als een vreselijke ziekte.

Zo gauw de zusters weer weg wandelden, draaiden de anderen zingend in een rondje om me heen. 'Arme Emma, dom geboren, zonder kerk en zonder toren.'

Ik was niet zo stom om dat mee te zingen.

En wat waren Bie en Mirjam nu weer fluisterend aan het zingen?

'Als je vrijt met je beminde, hang dan je poppen in de linde.'

Bie tastte met haar hand onder haar schort. Een vuil wollen popje viel op de grond. Ze schopte het naar de boom. 'Voor Onze Lieve Vrouw van de bevende linde.'

Ik schrok. 'Dat is Marie-Louise!'

Ze schaterden het uit. 'Marie-Louise, het vod heeft een naam!'

In het daglicht zag het popje er nog valer en slonziger uit. Jaren geleden had zus er een vijf voor gekregen op school, omdat het zo schots en scheef gebreid was. Ze wou het weggooien, maar ik zeurde tot ik het mocht hebben. Het was dan wel mislukt, maar het zag er zo schattig uit met die schele oogjes, dat kromme neusje en die scheve kleertjes. Zus moest lachen toen ik haar vertelde dat Marie-Louise ooit een prinses was geweest en dat haar moeder de jager op haar had afgestuurd om haar in het bos te doden. De jager had een wild beest geslacht en Marie-Louise gespaard. Dan was het toch geen wonder dat ze er een beetje gehavend uitzag?

Ik had Marie-Louise bij mijn spullen voor kostschool gelegd, maar moeder had haar weggegrist. 'De lijst zegt: geen speelgoed, geen poppen.'

Iemand moest me maar eens uitleggen waarom poppen hier verboden waren en heiligenbeelden niet. Die zagen er veel kinderachtiger uit en de nonnen kirden idiote woordjes tegen ze.

Ik was zo blij toen ik Marie-Louise bij het uitpakken in mijn dikste paar sokken vond. Alleen zus kon Marie-Louise daar verstopt hebben. Dat betekende toch dat ze aan mij had gedacht en dat ze wou dat ik iets van haar bij me had. En ook al was Marie-Louise van top tot teen besmet, ze rook naar thuis. Als ik ook ziek werd, zou ik naar huis mogen, en omdat ik toch al besmet was, zou ik weer bij zus in het grote bed kunnen slapen.

's Nachts legde ik Marie-Louise op mijn hoofdkussen, overdag stopte ik haar achterin de onderste lade van mijn commode. Dus Bie was in mijn kamer geweest en had in mijn spullen gerommeld. Hoe durfde ze! Ze was al even erg als de nonnen die ook de hele tijd in onze boekentassen en kasten neusden om te zien of er niets in zat wat verboden was.

Ik probeerde Marie-Louise terug te pakken. Het lukte me niet.

'Als je hier iets wilt verstoppen, doe het dan niet in je commode, niet onder je matras.'

'Waar dan wel?'

'De zitting van je stoel is hol en onderin je nachtkastje zit een plankje los.'

Bie deed of ze Marie-Louise in de boom wilde gooien, maar ze gooide haar naar Mirjam.

Ik keek Mirjam smekend aan, maar haar ogen stonden niet meer zacht maar wild. Ze stak haar tong uit en smeet Marie-Louise naar Karlien. 'Wat moet je met dat vod?'

'Geef terug.'

'Huil je?' Bie haalde haar neus overdreven hard op. 'Emma huilt.'

'Niet.'

'Wel. Ze mist haar moeder.'

Julia haalde haar duim uit haar mond, maar ze stopte hem er weer in zonder iets te zeggen. Was er dan niemand die me wou helpen?

Bie en Mirjam en Karlien gingen zo staan dat de nonnen niet konden zien wat ze deden. Ze waren venijnig en vals en ook nog schijnheilig. Ook die dingen waren dus besmettelijk. Erger dan de nonnen waren ze, want op andere momenten speelden zij wel dat ze mijn vriendinnen waren. Geen minuut langer wilde ik bij ze blijven. Nooit zou ik nog meegaan naar de bezemkast, nooit zou ik me nog door Bie een nachtkus laten geven. Ik wist dan wel niets van engelen, maar het kon gewoon niet zijn dat een engelbewaarder zo deed. Ik geloofde dan wel niet in de hel, maar als er een was dan moest Bie er 'ten eeuwigen dage' in branden. Ik haatte Bie, met heel mijn hart en ziel. En al de anderen ook. Julia haatte ik alleen met mijn ziel, maar niet met mijn hart. Dat leek me de ergste haat.

Het fluitje snerpte.

Bie stopte Marie-Louise weer onder haar schort en kruiste haar handen voor haar buik. 'Meisjes moeten kiezen, Emma: pop of lief. Kies!'

Ik wou geen lief. Ik wist dan wel niets en ik kwam ook nog uit een goddeloos nest, maar dat er van een lief donder en bliksem en scheldpartijen en huilbuien kwamen en ook nog ziektes, zo afgrijselijk dat ze niet eens een naam hadden, dat wist ik nu eens wél.

WIE BENAUWD IS VAN DE BLAREN

'Niet treuzelen, meisjes. Volgen, vlug, vlug, vlug!' Zuster Josepha klapte in haar handen. 'Julia, duim uit je mond of ik sla erop.'

Achter haar zakdoek stak Julia haar tong uit.

Zuster Josepha holde hijgend verder, met wapperende kap. 'Vooruit, meisjes!'

Ik wou niet te snel lopen, ik kwam ogen tekort om de struiken en bomen en bloemen in het park te bekijken. Vooral de vijver vond ik prachtig met al die waterplanten eromheen en erin. Een smal hoog bruggetje van dikke donkergrijze takken leidde naar een eiland. In het midden stond een huisje op een paal. Zou daar ook een Mariabeeld in staan? Of veel beeldjes, want het hok was groot en het zat vol gaten met plankjes ervoor.

De rij stokte. De achterste meisjes botsten tegen de anderen op. Nu pas zag ik de jongen, in de schaduw van het hok. Hij was nog groter dan Mirjam. Hij droeg dezelfde groene laarzen en blauwe werkkleren als Jef, als hij onze bomen snoeide of ons gras maaide, maar Jef was breder. De jongen stond met zijn rug naar ons toe en keek omhoog.

Boven het eiland cirkelden vogels. Zo gauw hij zijn hand omhoogstak gingen ze lager vliegen. Het geruis van hun vleugels klonk luider. Met hun kraaloogjes gluurden de witte duiven naar zijn hand. Kibbelden ze over wie het dichtst bij hem mocht komen? Ik hield mijn adem in. Wie zou winnen?

De kleinste duif landde op zijn hand. De kleinste en de mooiste. Met zijn vrije hand streek hij over de vleugels. En nog een keer. De jongen keek niet op of om, hij had alleen maar oog voor de duif. En wij voor hem. Allemaal keken we, met open mond, zelfs zuster Josepha keek. Hoe zacht bewogen zijn armen, hoe stil praatte hij met de duif. Want dat hij praatte, dat wist ik wel zeker. Wat fluisterde hij in die onzichtbare oortjes? Welke woorden blies hij in die veren zodat de duif niet kon ophouden met kirren?

'Emma!' Zuster Josepha trok me aan mijn mouw verder. 'Wij hebben een ander doel!'

Ik wist wel zeker dat de jongen omkeek. Nu kende hij mijn naam. Nu wist hij dat Emma degene was die het langst en het hardst naar hem had gekeken. Ik kon zijn ogen in mijn rug voelen, maar ik durfde me niet om te draaien.

Zuster Josepha duwde me in de richting van een hoge rots die boven de struiken uit torende. Toen we dichterbij kwamen zag ik dat er in de rots een groot gat zat. Rechtsboven in het gat stond een levensgroot Mariabeeld. Op de krans om Maria's hoofd dansten twee duiven koerend om elkaar heen. Met wiekende armen stormde zuster Josepha naar het beeld. 'Weg vuile beesten, weg van deze reine Maagd!'

Echt rein zag deze Maria er niet uit. De stralenkrans om haar hoofd hing vol duivenstront, haar blauwe rok zat onder de vuile vegen en de bleekroze verf op haar gezicht en handen en voeten bladderde af. Met één hand wees Maria naar de plek waar haar borsten zouden moeten zitten, maar het beeld was al even plat als ik. De andere hand wees naar de verlepte bloemen en halfvergane kaarsen bij haar voeten. Alsof ze wou zeggen: doe daar iets aan.

Voor de rots zat een stenen meisje geknield op de grond. Bewonderend keek ze naar Maria op, de handen gevouwen.

'Knielen, meisjes. Kijk, Emma, zo knielde het arme herderinnetje Bernadetje toen de Heilige Maagd en Moeder bij de grot aan haar verscheen.'

Ik keek speurend rond.

'Niet hier, stom kind. In Frankrijk, te Lourdes op de bergen.' Zuster Josepha verhief haar stem. 'Zelfs dat weet je niet. Meisjes, jullie moet Emma echt alles leren: alle verhalen en liederen en gebeden die ze nooit heeft gehoord, maar ook hoe ze de juiste bloemen moet plukken, de oude kaarsen vervangen, de beelden rein houden. Rein als lelies, Emma. Alles in het leven draait om reinheid. Waar geen reinheid is, daar is gevaar. Elke dag moeten we strijden, tot er geen vlekje, geen smetje meer overblijft.' Zuster Josepha klapte in haar handen. 'Werk aan de winkel. Pluk verse bloemen voor Maria.'

'Die bloemen?' Ik wees naar de grote witte bloemen die achter de grot groeiden.

Zuster Josepha zwaaide met haar hand. Ik verwachtte een klets, maar de hand stopte voor mijn neus.

'Nooit ofte nimmer mag je achter de grot komen. In die wildernis is alleen maar plaats voor duivelsplanten. Wat daar groeit, deugt niet. Wat deugt, groeit daar niet. Een meisje dat zich daar waagt, komt niet ongeschonden terug.' Zuster Josepha zuchtte. 'Het is dat je vader erom smeekte, anders hadden we je hier nooit toegelaten. Een meisje dat zonder God of gebod is opgegroeid! Geen wonder dat het verkeerd afliep met je zus. Meisjes, we moeten proberen om Emma te redden!'

Ik slikte mijn vragen in. Hoe kon ik nu weten dat die planten gevaarlijk waren? En wat kon zus eraan doen dat ze ziek was? En hoe wist zuster Josepha dat het verkeerd zou aflopen met haar? Wat als zus dood en begraven zou zijn voor ik weer naar huis mocht?

Zuster Josepha duwde me een stofdoek in de handen. 'Veeg die tranen weg, flauwe trien. Stof het beeld van Bernadetje af, maar voorzichtig, de verf komt los. Ik zal Marcel vragen om haar opnieuw te schilderen.'

Zachtjes wreef ik met de stofdoek over de donkere kapmantel van Bernadetje. Haar handen waren gevouwen, of haar vingers zich aan elkaar wilden warmen. Haar gezicht durfde ik nauwelijks aan te raken. Er hing bijna geen verf meer op. Onder haar ogen liepen bleke streepjes naar beneden. Ook ik wou huilen tot de huid van mijn wangen zou loslaten.

Julia knielde naast Bernadetje. 'Arm kind.' Ze haalde haar duim uit haar mond en liet hem over Bernadetjes wangen glijden, van haar ooghoeken naar haar kin. 'Wat mist ze haar moeder en haar schaapjes.'

De ogen van Bernadetje keken verbaasd, of ze niets snapte van wat er allemaal gebeurde bij de grot. Net als ik.

'Vooruit, meisjes, vandaag mag het heilige water vloeien.'

'Alsof er nog niet genoeg vloeit,' mompelde Silvana. Ze plukte een madeliefje en propte het in haar mond. Ze kauwde er traag op en knipoogde naar mij.

In de buurt van de grot gedroeg iedereen zich nog vreemder dan anders. En het werd met de minuut erger. Bij de grote pomp naast de grot vulden Berta en Karlien een houten vat met water. Ze drukten het deksel erop en sleepten het vat naar een plat stuk rots bij het Mariabeeld. Voorzichtig lieten ze het vat kantelen. Er sijpelde een beekje uit een gat in het deksel.

'Kijk, Emma, zo stroomde het heilige water uit de grot. Een wonder, een mirakel!' Zuster Josepha pakte mijn rechterhand, hield die onder het water en liet me een kruisteken maken.

Ik geloofde mijn oren niet. Vader had gelijk als hij zei dat het geloof een gevaar was voor het verstand. Maar waarom had hij mij dan in zo'n gekkenhuis gestopt? Wat als ik hier dommer naar buiten ging dan ik gekomen was, met een berg geloof maar zonder een gram verstand? Als ik hier ooit al buiten raakte...

'En nu zingen, meisjes, uit volle borst.' Zuster Josepha zong, de anderen volgden.

Te Lourdes op de bergen verscheen in een grot,
vol glans en vol luister de moeder van God.
Ave, ave, ave Maria!

Het klonk als een oorlogslied. Soldaten stormden uit de grot en denderden met kletterende wapens over de vlakte. Het lied maakte hen zo wild dat geen vijand tegen hen bestand was.

Toen we allemaal in de weer waren met bloemen en kaarsen en stofdoeken kuierde zuster Josepha weg, het park door, naar het houten huis bij het grote hek.

'Wie woont daar?'

'Marcel, de tuinman. Hij zorgt voor snoei en sproei en bloei.' Karlien zwaaide wild met de ijzeren gieter zodat ik water op mijn uniformrok kreeg.

'Woont hij daar alleen?'

'Met de jongen.'

'De jongen op het eiland? Is dat het duivenjong?'

Mirjam knikte.

'Woont er ook een moeder?'

'Die is er niet. Hartje winter vonden de nonnen een jongetje bij de kloosterpoort, nog geen duim groot. De duiven hielden hem warm onder hun vleugels. Daarna warmden de nonnen hem onder hun rokken. Zo gauw hij daar niet meer onder paste, moest hij bij Marcel gaan wonen. We mogen niet met ze praten. Zuster Josepha vertelt ze wat ze moeten doen. Als ze straks terugkomt zie je een mirakel: ze lacht, of ze stront ziet dansen.'

Zo gauw de deur van het houten huis achter zuster Josepha dichtging, trok Bie me mee naar de grot. Eén keer eerder was ik in een grot geweest. Op schoolreis keken we naar de vochtige druipstenen en naar de vleermuizen tegen het plafond. Maar deze grot zag er anders uit. Geen druipstenen, maar metalen plaatjes met een hart, een oog, een stuk arm of een half been. Geen vleermuizen maar houten bordjes tegen de wand met zinnen in goud en zilver. Wat ik hardop las, kaatste de grot terug: 'Troosteres der bedrukten, dank voor een zalige dood.'

Wie zou dat daar gehangen hebben? Iemand die nu dood was? Had hij of zij dat daar voor of na die zalige dood opgehangen? En hoe kon je een dood zalig noemen?

Het volgende bordje was al even vreemd: 'O Moeder Maagd, o wellust van ons leven.'

Dat klonk meer als een van de vuile liedjes van Bie dan als een gebed. Zuster Rigoberta had in de les gezegd dat we te allen tijde de wellust moesten ontlopen. Maar wat een vreselijke zonde was voor gewone mensen, was misschien geen zonde voor een heilige. Daar vroeg ik niet hardop naar. Ik wist wel zeker dat ze dan weer eens over de grond zouden rollen van het lachen. Dus hield ik mijn mond en las een ander bordje: 'Maria Eeuwigdurende Bijstand.' Dat kon ik wel gebruiken: eeuwigdurende bijstand. Hoe moest ik bij zo'n bordje bidden? Herhalen wat erop stond? Mocht ik ze samenvoegen? Kon ik vragen: geef me eeuwigdurende bijstand en wellust in mijn leven?

Silvana viste een vies lint uit haar schortzak. Het zag eruit als een stuk zakdoek van iemand die een bloedneus had gehad. Ze hing het over een hoek van het bordje en prevelde: 'Moeder van kwade dagen, verlos me van kwaad bloed en ondraaglijke krampen.' Wat kon dat betekenen? Hielp een gebed ook als ik het herhaalde zonder het te begrijpen?

Het volgende bordje was duidelijker: 'Machtige Maagd, door u en door u alleen van de duivel verlost.' Als er al duivels bestonden dan zouden ze zich hier in de halfdonkere hoeken van de grot prima kunnen verstoppen. Of sloeg mijn hoofd nu ook op hol?

Vader zei dat het geloof besmettelijk was. Als ik al niet besmet was door zus was ik het intussen wel door het geloof. Ik zag en hoorde ook al spoken.

'De duivel kan vele gedaanten aannemen,' beweerde zuster Rigoberta, 'en zeer zeker ook die van een beest.'

Ik wist wel zeker dat ik hier een beest hoorde. Maar zou een duivels beest niet eerder brullen dan piepen?

Karlien had ook iets gehoord. 'Wat is dat?' Karlien pakte mijn hand. Voorzichtig zetten we een paar stapjes vooruit en nog een paar, tot we in een donkere hoek stonden, een eindje bij de anderen vandaan.

Op een richel, op een bergje takjes en veren, zat een duif. Ze deinsde voor ons terug.

'Stil maar,' fluisterde Karlien. 'We doen je niets.'

Maar de duif bleef onrustig heen en weer schuifelen.

Karlien wees. 'Een ei.'

Ik wou voelen hoe glad de schaal was, maar dat durfde ik niet. Wat als ze me pikte? En ik vond het ook wel vies. Hoe het ook glinsterde, het ei was uit het binnenste van de duif gekomen, net als de vuilgrijze slierten rond het nest.

'Kun je een geheim bewaren?'

Ik knikte.

'In mijn droom legde ik een ei. Als ik erop zou zitten, zou het openbarsten. Als ik het zou laten liggen, zou het koud worden en doodgaan. Toen ik wakker werd was mijn bed nat. Ik moest mijn lakens zelf wassen van zuster Isidora en ze ophangen in de slaapzaal zodat iedereen ze kon zien.'

'Kon het ei er makkelijk door?'

'Het was bijna zo groot als mijn hoofd, maar het gleed er zo uit.'

Ook het duivenei was bijna zo groot als het kopje van de duif. Ik kon het niet goed zien met al die veren, maar zo'n groot gat kon er toch niet zitten tussen die duivenpootjes? Zouden duiven twee gaatjes hebben of moest alles door dat ene? Toen ik nog klein was dacht ik dat ik maar één gaatje had, tot ik het eens duidelijk voelde: wat vloeibaar was stroomde uit een ander gaatje.

Bie beweerde dat jongens geen tweede gaatje hadden, maar een kraantje. Dat leek te belachelijk om waar te zijn. En stel dat het toch waar zou zijn, hadden de jongens dan geluk? Was een kraantje dat je in een handomdraai open en dicht kon draaien handiger of was het juist lastig, iets wat zomaar uit je lichaam stak?

Karlien fluisterde. 'In mijn droom had ik een gaatje voor de stront, een gaatje voor de plas en een gaatje voor het ei.'

'Drie?' Ik kneep mijn benen samen. Drie was te veel. Als ik er nog maar aan dacht, voelde ik me zo lek als een mandje. Dat kon toch niet waar zijn? Of wel?

Ik wou niets liever dan te weten komen wat ik nog niet wist en toch wou ik nu ook mijn handen tegen mijn oren drukken. Was het dan toch beter om niet te veel te weten? Wat als meer weten me nog banger zou maken? Wat als ik dingen te horen zou krijgen die ik echt niet wou horen? Hoe kon ik van tevoren weten wat ik wel of niet wou weten?

Maar de volgende vraag rolde alweer uit mijn mond. 'Mensen leggen toch geen eieren?'

'Bij mensen barst het ei vanbinnen open. Het kind komt uit het ei en later uit de buik, van onderen. Ik heb dat al eens bij een varken gezien. Moeder zegt dat het bij mensen niet zo anders gaat.'

'Ben je toen flauwgevallen?' Nog nooit had ik iemand ontmoet die het had gezien en er ook nog over praatte. Moeder vertelde me een heel klein beetje toen we drie jaar geleden naar het nieuwe kindje van tante Beatrijs gingen kijken. 'Emma, de kindjes komen niet uit een kool, niet uit een bloemkool en niet uit een rode kool. Ze worden niet door de ooievaar gebracht of door de kindjesboot, ze kruipen niet uit een berg vol holen. De kindjes groeien in hun moeders buik, onder hun moeders hart, mooi hè?'

Ik knikte. 'Maar hoe...'

Moeder mompelde. 'De rest leer je op school, als de tijd rijp is.'

Zuster Wisigonda legde uit dat Gods grote plan met de mensen eruit bestond dat God wou dat we allemaal kindjes kregen. Ik zag een grote perkamentrol voor me waar Gods plan op stond. Toen ik hem open rolde, raakte ik niet wijs uit de schimmige tekeningen. En voor ik er iets van snapte, rolde God zijn plan weer op.

Als de kindjes in hun moeders buik groeiden, onder haar hart, zouden ze dan met hun voetjes haar navel open trappelen en daar dan door kruipen? Kwam er daarom een dokter aan te pas, om de boel weer dicht te maken? Maar volgens zus hadden jongens ook navels, dus dat klopte niet, tenzij de jongens iets hadden wat verder nergens toe diende. Dat kon best zijn, want volgens vader moesten zus en ik oppassen voor jongens, omdat die hun verstand amper een kwart van de tijd gebruikten.

Dat de kindjes uit hun moeders navel zouden kruipen vond ik al griezelig, maar dat ze er van onderen uit zouden komen, uit het zoveelste gaatje, vond ik nog duizend keer akeliger en smeriger. Daarom wou niemand erover praten, alleen de boerenkinderen, die toch al in het vuil opgroeiden. Ik was jaloers op Karlien en Bie, omdat zij konden zien en horen hoe het bij de beesten ging. Maar wou ik dat zelf ook echt of zou ik dan flauwvallen?

Karlien legde haar vinger tegen haar lippen. 'Niets over mijn droom vertellen aan de anderen, hè? Dan lachen ze me toch maar uit.'

Ik knikte. 'Zullen we weggaan voor ze ons zien en met hun lawaai de duif wegjagen? Dan wordt het ei koud.'

Hand in hand liepen we terug. Ik was zo blij dat Karlien me zomaar haar droom had verteld. Bij Karlien voelde ik me veilig. Ze deed wel mee met Bie, maar ze begon nooit zelf met plagen. Karlien zou ik liever als engelbewaarder willen, maar hoe kon ik dat aan boord leggen?

Karlien liet mijn hand los toen ze Bie zag staan bij het grootste bord bij de ingang van de grot.

'Eindelijk. Waar bleven jullie?'

Ik zei niets. Ik bekeek de twee krukken naast het bord en las de zilveren letters: 'Beroofd van het gebruik van zijn benen, bekwam hij door Maria de gang weder en herstelde geheel en volkomenlijk.'

Bie liet de ene kruk tegen de andere tikken. 'Ze waren van pater Ezechiël. Bij hem gaan we biechten. We leren Emma nog wel biechten, hè Karlien?'

'Is hij echt genezen?'

'Lopen kan pater Ezechiël weer, maar ik denk niet dat hij geheel en volkomenlijk herstelde.'

Ik keek Karlien vragend aan, maar nu lachte ze alweer samenzweerderig met Bie zonder mij te vertellen wat er zo grappig was.

Ik voelde aan de krukken. Naast de krukken liep een lange rechte ribbel over de rotswand. Er stak een stuk ijzer uit. Dus de grot was niet echt. Wie kon je hier nog geloven?

'Wie heeft de grot gemaakt?'

'Marcel en de nonnen. Op een rij holden ze met kruiwagens vol cement door het park.'

Deze keer trapte ik er niet in. Ik vond het wel grappig. Ik zag ze met volle kruiwagens door het park rennen. Terwijl ze de grot boetseerden, kwamen ze van top tot teen onder de smurrie te zitten.

Bie drukte haar lippen tegen de rotswand. 'Als je een mirakel wilt, fluister dan je wens in een spleet.'

Hield ze me weer eens voor de gek? Hoe dan ook, Bie en Karlien fluisterden vol overgave. Ze keken niet eens meer naar mij om. Wat had ik te verliezen? En wat vader ook zei, het was wel een prachtig woord: mirakel.

Ik drukte mijn mond tegen de wand. In een spleet bij het stuk ijzer fluisterde ik: 'O Moeder Maagd, o wellust van mijn leven, laat zus door u de gang weder bekomen en geheel en volkomenlijk herstellen.' Ik bleef nog even met mijn wang tegen de koele rots staan. Stel dat het werkte. Zus sprong uit bed en pakte me vast. 'Lief Emmaatje, ik ben weer opgestaan.' Moeder sloeg haar armen om me heen: 'Dankjewel, Emma, goed gedaan.' Vader knikte: 'Daarom hebben we je naar die rare school gestuurd, om te leren hoe een mirakel werkt.'

Bie trok me mee. 'Klaar voor het mirakel achter de grot?'

Voor ik kon protesteren, vormden ze al een rij, met mij in het midden. Voorzichtig slopen ze tussen de stevige, behaarde stelen en de grote gekartelde blaren van de vreemde planten door. Ik stak een vinger uit naar de diep ingesneden blaren. 'Je zou ze als parasol kunnen gebruiken.'

Bie trok mijn hand weg. 'Raak ze niet aan! Die haren op de stengels en de bladstelen zetten je in vuur en vlam. Eerst is er niets te zien, uren later komen de vlekken.'

'Brandnetels.'

'Erger. Als de zon de vlekken raakt, komen er blaren van, groter dan bij de heetste brand, en als ze gaan zweren, springt de etter eruit. Als je hier struikelt, als het hier plots gaat waaien, brand je als een toorts. Erger dan in het hellevuur. En komt er sap in je ogen, dan word je blind.'

Ik bleef staan. 'Ik ga niet mee.'

'Je kunt niet terug. Alleen wij kennen het pad. Stap in onze voetstappen. We zijn er bijna.'

Tussen de blaren zag ik een schim. Zijn vleugels waren ooit van goud geweest. Of haar vleugels? Hoorden de losse krulharen, het lange kleed, de fijne lippen, de smalle schouders en de arm vol bloemen niet bij een meisje? De hand met bloemen trok tegelijk het kleed omhoog. Kon het stevige gespierde blote been dat tussen de plooien van het kleed tevoorschijn kwam, van een meisje zijn? Zo'n groot stuk been mochten wij nooit laten zien. Heiligen en engelen mochten altijd meer.

In de kapel van de zusters had ik alle tijd om de schilderijen en beelden te bestuderen. Op het grootste schilderij, dat 'De zeven smarten van Maria' heette, droeg de zoon van God alleen een dunne doek om zijn middel. Ik kon zelfs zijn nutteloze navel zien. Het zag ernaar uit dat ook die ene dunne doek elk moment kon wegglijden. Gods zoon lag op de schoot van zijn moeder, terwijl hij allang geen baby meer was, maar hij was wel dood natuurlijk.

Niet ver vanwaar ik zat in de kapel stond een wit stenen beeld van een heilige met nog minder om het lijf dan de dode zoon, maar dat kwam omdat hij gemarteld was. Om nog beter te kunnen martelen trokken ze je al je kleren uit. Waar de evenaar bij de heilige zou lopen stond een stenen struik zodat ik weer niets zag. Zijn hele lichaam zat vol pijlen. Er sijpelde bloed uit elk van de zesentwintig wonden. Ik had ze zeventien keer geteld. Bij elke telbeurt renden de mieren wat sneller over mijn buik.

Ik had in mijn hele leven nog nooit zoveel bloot bij elkaar gezien als in de kapel van de nonnen. Naar heilig vlees mocht je wel kijken, de nonnen keken zelf ook heel aandachtig. Dus staarde ik voluit naar het mooie blote engelenbeen en probeerde me het kraantje voor te stellen dat hogerop onder zijn stenen kleed verstopt zat. Bie zei dat God eerst de man had gemaakt en daarna pas de vrouw. De jongens waren het probeersel en daarom een beetje mismaakt, bij de meisjes lukte het pas echt goed. Dat kraantje was niet de bedoeling geweest en volgens Bie zag het er ook echt niet uit, maar gedane zaken namen geen keer en nu moesten de jongens het er maar mee doen. We mochten van geluk spreken dat wij niet het probeersel waren.

Zijn rechterhand hield de engel bij zijn mond, of hij zo dadelijk iets zou vertellen dat eigenlijk een geheim was.

'Als Gabriël in je oren fluistert, moet je uitkijken. Iedereen weet wat er dan gebeurt.'

Ik wist het niet, maar ik ging er niet naar vragen.

‘Het was mijn beurt.’ Voorzichtig trapte Mirjam haar kousen en schoenen uit. Met blote voeten ging ze op de stenen voeten van de engel staan. Ze drukte haar oor tegen zijn hand en zijn mond. Met haar blozende wangen, haar glinsterende ogen, haar lange benen en de zwarte plukjes haar die uit haar vlechten sprongen, was ze het mooiste meisje van de school. Het leek of de engel haar wiegde en of niet Mirjam, maar de engel zong.

Wie benauwd is van de blaren, mag al in het bos niet gaan.
Wie zijn bloemeke wil bewaren, mag bij gene jongen gaan.
Rode krieken zullen ze plukken en de groene laten staan.
Schone meiskens zullen ze kussen en de lelijke laten staan.

‘Groene krieken worden ooit rood. Zo gauw ze rood zijn mag je ook eens met de engel dansen, Emma. Maar pas op, als de engel kantelt, lig je eronder.’

Ik lachte met de anderen mee. Dat zou inderdaad geen gezicht zijn.

Mirjam protesteerde toen Bie zei dat het tijd was en haar bij de engel weg trok. Ze bloosde, of ze uren in de zon had gelopen. Tussen Karlien en Bie in liep ik terug. ‘Wat als de nonnen ons hier vinden?’

‘Ze komen hier nooit. Ze zijn doodsbang voor de planten. De engel is van ons.’

‘Waarom vragen ze de tuinman niet om die planten om te hakken?’

‘Omdat ze daaronder hun doodzonden hebben begraven.’

Zou vader me terug naar huis halen als hij zou vermoeden dat het hier barstte van de doodzonden? Ik zou het in mijn volgende brief kunnen vertellen, maar de nonnen lazen elk woord mee. Als ik iets schreef dat ze niet aanstond, kwam er een rode streep door en moest ik opnieuw beginnen.

‘Daarachter groeien struiken met sokjes en mutsjes.’

De enige boom die ik kende waar kleren aan groeiden was de hazelaar op het graf van de moeder van Assepoes. De wortels gingen helemaal tot in haar kist en zo kon ze haar dochter geven waar ze om smeekte: een baljurk, stralender dan de zon, de maan en de sterren samen.

De nonnen hadden mijn dikke sprookjesboek afgepakt om me intellectuele zwakte en al te veel nutteloze opwinding te besparen. Gelukkig zaten de sprookjes zo goed in mijn hoofd opgeborgen dat ik er elke avond een aan mezelf kon vertellen.

'Is het sap van die planten echt giftig?'

'Een halve druppel berenklauw en je slaapt honderd jaar. Een hele druppel berenklauw en je wordt nooit meer wakker, tenzij de prins je kust, met een echte kus waarbij hij je tong naar buiten zuigt. Dan weet je dat hij de ware is, maar op dat moment sterft hij in je armen.'

Ik zag mezelf zitten met een halfblote prins op mijn schoot die heel erg op het duivenjong leek, maar dan zonder werkkleren en laarzen aan. Die echte kus klonk best smerig, maar als het om mijn leven ging, dan moest het maar. Mijn duivenprins zoog het gif uit mijn mond, maar op het moment dat ik ontwaakte, bezweek hij. Het mooiste moment in mijn leven was tegelijk het droevigste. Ik kreeg er tranen van in mijn ogen.

'Als zuster Josepha ooit te ver gaat, krijgt ze haar druppel berenklauw en begraven we haar achter de grot.' Bie sloeg op mijn schouder. 'Niet huilen, Emma. Ze is niet één traan waard.'

DE NONNEKENS BAKTEN FRIKADEL

'Wie eet? En wie sterft de hongerdood?' Bie stak een groene tong naar me uit. 'Kikkerdril, vers uit de vijver.'

'Niet grappig.' Ik probeerde de groene smurrie op mijn vork te krijgen, maar die gleed er keer op keer af. Ook de blubberige slierten halfrauw ei lieten zich niet vangen. Wat ik thuis niet lustte, at zus stiekem op. En als ik drie lepels op had, zei moeder dat het genoeg was. 'Drie lepels. Om het te leren.' Hier moesten we eerst uitvoerig danken voor spijs en drank, voor dagelijks brood, en daarna in doodse stilte alles tot de laatste kruimel opeten, wat er ook op ons bord lag. Soms hadden we daar echt het raden naar.

Julia verbrokkelde stiekem een klontje suiker boven haar bord. Ik betwijfelde of dat ook maar iets zou helpen. Waar haalde ze die suiker vandaan? Altijd had ze wel een klontje of een zakje suiker om haar duim in te stoppen.

Bie kieperde haar eten in de plantenbak naast de tafel. Er hing niet één blad aan dat niet verdord was.

Ik had met moeite een halve platgekookte aardappel en één vorkje groen naar binnen gewerkt. Hoe ik mijn bord leeg moest krijgen wist ik niet. En nu kwam er ook nog een brok in mijn keel, omdat ik aan thuis dacht. Ik miste eten dat lekker rook, een tafel met een tafelkleed erop en mensen die af en toe iets zeiden boven hun bord, ook al zeurden ze de oren van mijn kop. Ik miste thuiskomen na school, in de keuken een glas melk drinken en vertellen aan moeder wat er die dag gebeurd was. Ik miste kussen die naar moeder roken. Ik miste hoepelen en hinkelen met de kleintjes zonder de hele tijd te moeten uitkijken of er niet een stuk been bloot kwam. Ik miste een wc met een echte deur van de vloer tot het plafond en een hele rol papier waarvan ik mocht gebruiken wat ik maar wou, wanneer ik maar wou, ook 's nachts. Ik vervloekte die stomme pispot onder mijn bed waar ik muisstil mijn plas in moest doen en die ik 's ochtends voor de neus van zuster Josepha leeg moest gieten in een grote bak. Ik miste kleren waarin ik mijn armen en benen kon bewegen, ik miste sokken en bloesjes met korte mouwen. Ik miste de zachte gongslagen van onze wandklok, niet dat schelle gebel en gefluit dat om de haverklap vertelde wat we moesten doen. Ik miste een kamer met een breed bed en een zus die tussen de lakens schoof en fluisterde: 'Emma, kun je een geheim bewaren? Ik ben zo verliefd dat het zeer doet.' Ik miste al wat er geweest was voor zus ziek werd en ik op een veldbed in de piepkleine logeerkamer moest slapen. Ik wilde wel op de blote grond slapen, als ik maar weer naar huis mocht.

Karlien deed of ze slobberde. 'Onze zeug krijgt smakelijker eten.'

Ik zag het immense zwijn voor me waarover Karlien zo graag in geuren en kleuren vertelde. Het woord alleen al, 'zeug', daar kon je toch echt die stank bij ruiken en die vuile modderbuik zien. Altijd zat de zeug vol jongen, zei Karlien, want dat was haar beroep. Als er bij haar thuis op de boerderij meisjesvarkentjes werden geboren werden ze 'keuzekes' genoemd. Dat vond ik een zacht en warm woord, bijna gezellig klonk het, en ik voelde er droog roos vlees bij en rook de wieg van het kindje van tante Beatrijs. Keuzekes groeiden als kool tot ze op een dag, als er genoeg spek op hun botten zat, ook zeug werden. Dan tilde de vader van Karlien ze een voor een op om te kijken of ze goed voorzien waren van poten en oren. Hij kneep in hun buik, hij keurde hun poten en tanden en oren en riep: 'Voor de slacht.' Of: 'Voor de dracht.' Een andere mogelijkheid was er niet voor de keuzekes, die zelf niets te kiezen hadden.

Als Karlien in de bezemkast een deken om zich heen sloeg en riep: 'Keuzekes, kom!', dan moesten wij allemaal onder haar deken kruipen en muisstil blijven zitten tot ze fluisterde: 'Nu, Gods grote plan met de varkens begint!'

Bie, het grootste keuzeke, moest dan als eerste tevoorschijn kruipen, grommend en snuivend, want geboren worden, dat was geen klein bier. 'Geen kattenpis,' zoals Karlien zei. Ook Karlien hijgde en pufte en vloekte. Elk keuzeke dat tevoorschijn kroop, werd door Karlien geknepen, waarna ze besliste: 'Voor de slacht.' Of: 'Voor de dracht.'

Omdat Julia weigerde om geboren te worden, moest ik altijd als laatste keuzeke komen. De kleinste kwam immers altijd het laatst. Zo gauw het kleinste keuzeke met zijn snuitje vanonder de deken kwam, moest het heel stil en zielig piepen omdat het bijna stikte. Het moest ook het hardst vechten voor wat melk en dan ging het toch nog dood. Keer op keer moest ik doodgaan en muisstil blijven liggen terwijl Karlien alles deed wat ze kon om me weer tot leven te wekken. Wat Karlien ook uitspookte, ik mocht geen vin verroeren. Tot Karlien jammerde: 'Nee, niet het kleinste, niet het mooiste, niet het liefste!' en me weer onder haar deken stopte, zodat ik opnieuw geboren kon worden en nog een kans zou krijgen. En dan begon het hele spel weer van voren af aan. Er kwam maar geen einde aan. Ik kreeg op de duur zoveel medelijden met mezelf dat ik echt heel treurig piepte tot niet alleen Julia maar ook alle anderen tranen in hun ogen kregen. Maar dan moest ik weer opnieuw geboren worden omdat ik het zo onvoorstelbaar goed kon spelen.

Ik staarde naar het rode puntje in mijn snotterige ei. Hadden ze bij dit halfgare kuiken al 'slacht' geroepen nog voor het goed en wel geboren was? Geen hap kreeg ik meer door mijn keel.

Terwijl zuster Josepha met een volle schaal eten naar de deur van de refter liep, schraapte Karlien haar bord leeg in een bakje op haar schoot.

'Pater Ezechiël lust het wel.' Silvana wierp een blik op de deur. Zuster Josepha was met haar schaal verdwenen. 'Emma, wil je het recept?' Silvana boog zich over de tafel heen. 'Voor de nonnen hun zakdoeken in de was gooien schudden ze die boven de kookpotten uit. Als hun hangwangen mee schudden, vallen er ook nog pukkels in.'

Ik duwde mijn bord van me af. Het stukje aardappel en het hapje groen begonnen in mijn buik te schuiven.

'Wil je weten hoe ze die eieren koken?' Silvana stopte haar vuisten onder haar oksels en draaide met haar schouders.

'Stop!'

Maar ze wisten weer eens van geen ophouden. 'Emma, weet je wat er gebeurt als je kikkerdril eet?'

Ik wist wel beter. Dit was andijvie, geen kikkerdril. Er spartelden echt geen eitjes in mijn buik, er kropen echt geen kikkervisjes met monsterlijk dikke koppen en dunne staarten uit. Ik schoof heen en weer op mijn stoel en legde mijn hand op mijn navel. Het kon echt niet dat ze naar boven klommen. Maar ik mocht slikken wat ik wou, het lukte me niet om ze naar beneden te duwen. Ik zweette me een ongeluk en tegelijk had ik het ijskoud.

'Je ziet lijkbleek.' Mirjam gaf me een glas water.

Drinken maakte het alleen maar erger. Zo gauw de slok tegen de brok in mijn keel botste, ontplofte hij. Ik sloeg mijn hand voor mijn mond, maar hoe hard ik ook drukte, ik kon het niet meer binnen houden. Tussen mijn vingers door spoot het eruit. Het beet in mijn neus. Ik snakte naar adem. De anderen keken me geschrokken aan. Het werd doodstil in de refter.

'Nog een geluk dat we bij jullie nooit een tafelkleed leggen.' Zuster Josepha duwde me een natte vod en een zak in de handen. 'Opruimen!'

Mijn bord in de zak omkeren lukte me nog wel. Maar wat er rond mijn bord op tafel lag... Ik zag Bie naar haar lepel wijzen. Ik pakte mijn lepel en probeerde de smurrie bij elkaar te schrapen zonder er te veel naar te kijken. De slierten spartelden tegen.

Mirjam pakte haar lepel, maar zuster Josepha had het gezien. 'Niemand helpt. Anders leert ze het nooit af.'

Als ik maar niet naar beneden keek zou het me misschien wel lukken. Maar aan de geur kon ik niet ontsnappen. Ik kokhalsde. Nu moest ik nog meer opruimen. En ik wist zeker dat ik weer misselijk zou worden. En weer. Het zou als de geboorte van het kleinste keuzeke zijn. Nooit zou er een eind aan komen.

'Zo gauw dit is opgeruimd, vul ik dat bord opnieuw.'

Nooit zou ik een bord vol naar binnen krijgen en ook nog binnenhouden. Ik wou Silvana's verhaal niet geloven over haar grootmoeder die een dag en een nacht lang in de refter had moeten zitten, 's nachts met alle lichten uit, tot er niets meer op haar bord lag. Wat als het waar was?

In mijn hoofd speelde het idiote liedje dat Bie zo graag zong. Het was stom en kinderachtig en lelijk, maar ik kon het niet stoppen. Het bleef maar draaien. De laatste strofe zong Bie altijd het luidst en die klonk nu ook het hardst in mijn hoofd.

De nonnekens bakten frikadel,
Al op een oud petroleumstel,
Maar plotseling toen ging de bel,
En daar stond pater Ezechiël.

Vraag eens wat hij drinken wil,
Fikedi, fikeda, fikederia.
Vraag eens wat hij eten wil,
Fikedi, fikeda, fikederia, hallelujah!

Soep met geitenkeutels,
Fikedi, fikeda, fikederia.
Soep met geitenkeutels,
En pap met nonnenhaar, hallelujaar!

Pap met nonnenhaar, als ik er alleen maar aan dacht...

Julia haalde haar duim uit haar mond en knikte me bemoedigend toe. Ze tuitte haar lippen of ze me van ver een lief kusje zond. Ik bleef in haar mooie zachte ogen kijken, terwijl ik voorzichtig met mijn lepel over de tafel schraapte.

Julia balde haar vuist en legde die tegen haar oor. Of ze ook een liedje hoorde dat ze niet wou horen. Traag maakte haar middenvinger zich los uit de vuist. Ze tikte ermee tegen haar hoofd.

Dat was iets ergs, iets wat echt niet kon, echt niet mocht, zelfs niet bij de goddelozen die God noch gebod respecteerden. Ik wist niet waarom of hoe, maar ook op mijn oude school werden ze woest als iemand zijn middenvinger van zijn andere vingers losmaakte en omhoog stak. Wiske van de bakker had een keer haar middenvinger uit haar vuist laten opduiken en ze vloog van school. Die ene keer dat ik er thuis naar vroeg, werd er niet eens gezegd dat de tijd ooit rijp zou zijn om dit te snappen. Vader wees naar zijn mes: 'Die vinger hak ik af.'

Bie en Silvana brachten ook hun vuist naar hun voorhoofd, ze krabden zachtjes met hun middenvinger in hun haar. Was dit nu het verboden gebaar of toch weer niet?

Vliegensvlug reisden er nu vuisten en middenvingers de lange tafel langs, tot helemaal aan het andere eind van de refter een meisje riep: 'Zuster Josepha, zoudt u alstublieft kunnen komen?'

'Wat nu weer!' Zuster Josepha stevende weg.

Het ging sneller dan de wind: lepels schraapten smurrie in de zak, handen veegden met de vod over de tafel en knoopten de zak dicht voor ik weer moest kokhalzen.

Julia veegde met haar zakdoek over mijn mond en stopte er een klontje in. Met suikerzoete vingers streek ze daarna over mijn lippen. Ze fluisterde, stiller dan stil: 'Huil. Nu!'

Ik dacht aan moeder, ver weg in onze warme keuken, aan Julia's moeder, nog verder weg in de koude grond, ik dacht aan Julia, slaapdronken op haar knieën naast haar bed terwijl ze met beide handen in haar karpetje groef.

Het kostte me geen moeite om tranen met tuiten te huilen.

EN STEEK UW VOETJES BIJ DE MIJNE

'Arm kind, laat je door zuster Maria maar eens lekker verwennen.'

Zijdezachte handen had zuster Maria. Ze roken naar noten. Ze legde koele waslapjes op mijn voorhoofd. 'In de andere ziekenzaal liggen nog twee oude zusters, maar hier ben ik er helemaal voor Emma.'

'Mag ik niet naar huis?'

Zuster Maria werd nog mooier als ze glimlachte. Ze boog zich over me heen om de thermometer vanonder mijn oksel te halen. Ik bloosde bij zoveel malse warmte.

'Heb ik meer dan veertig?'

'Dan zou je naar het ziekenhuis moeten.'

'Zou ik naar huis mogen als ik brandblaren zou hebben waar de etter uit zou springen?'

'Brandblaren? Kind toch! Wil je zo graag naar huis?'

Ik knikte. Als ik mijn mond opendeed, zou ik huilen.

'Ik heb je ouders gebeld. Ze vonden het beter dat je hier bleef.'

'Zeiden ze nog iets?'

'Dat je zus nog een tijd in bed moet blijven. Is ze allang ziek?'

'Zij moet elke ochtend braken, ook als ze nog helemaal niets gegeten heeft.'

Zuster Maria keek bezorgd. Misschien was dit een heel slecht teken. Misschien was zus intussen zieker geworden of was het al verkeerd afgelopen en durfde ze me dat niet te vertellen. Of ging het niet om een ziekte, maar om iets dat zo erg was dat ze het maar liever ziekte noemden? Wat kon zo erg zijn?

Altijd als ik daarover piekerde, schoof er een stoffig, donker gordijn voor mijn gedachten. Ik wou het wegtrekken, maar het woog zo zwaar. Ik kneep in het laken tot mijn vingers pijn deden.

Zuster Maria vouwde mijn vingers open. Ze legde een plastic Mariabeeldje op mijn handpalm. Onder Maria's doorschijnende kleren kon je water zien zitten. Haar donkerblauwe kroon was ook de dop van het flesje. In Maria's lege hoofd kleefde een dikke druppel tegen de binnenkant van haar wang, of ze vanbinnen huilde.

'Er zit water uit Lourdes in. Waar Maria aan Bernadetje is verschenen, daar is een bron met genezend water in de grot ontsprongen.'

'Een echte grot of een van cement? Met water dat echt stroomt of water uit een zelfgevuld vat, zoals bij de grot in het park? Als dat een mirakel is, dan kan ik het ook.'

Ik schrok van mijn woorden, maar zuster Maria glimlachte. 'Daar was het echt een mirakel. Veertien was Bernadetje toen ze Maria zag. Ze was een straatarm herderinnetje dat niet kon lezen of schrijven. Ze was nooit naar school geweest, zo arm, en altijd maar ziek. Al van bij haar geboorte had ze pech. Haar moeder had haar borsten verbrand en kon haar niet zelf voeden. Bernadetje moest de melk van een andere vrouw drinken, maar die liet haar eigen kind eerst drinken. Voor Bernadetje bleven er lege borsten over. Het was al een wonder dat ze bleef leven.'

Ik staarde naar de grote ronde borsten van zuster Maria die zelfs het zware nonnenkleed vooruit duwden. Dus daarom hadden vrouwen borsten! Om kinderen te voeden. Maar zuster Maria had geen kinderen. Net als hersens kon je borsten dus gebruiken of niet.

Ik legde mijn hand op mijn eigen knopjes. Rechts een hazelnoot, links een walnoot. Ik was niet langer platter dan plat, maar nu had ik er een zorg bij: ze groeiden niet mooi samen. Hoe kon ik de rechterkant wat flinker door laten groeien?

'Geen borsten zonder korsten,' commandeerde Berta. En ze kieperde die van haar op mijn bord.

'Duivenmest op smeren,' beweerde Karlien, maar zo zot was niemand.

'Lief voor ze zijn, ze strelen, zal ik het doen?' Bie natuurlijk.

'Nee, je moet er juist hard in knijpen.' Mirjam die verreweg de grootste had en voor zover ik het door haar nachtkleed heen kon inschatten, mooi even groot.

'Wassen met speeksel,' fluisterde Julia. 'En dan suiker erop.' Maar bij haar was er nog helemaal niks te zien, niet links en niet rechts.

'Lang naar de jongens kijken,' dacht Silvana.

Had ik te lang naar het duivenjong gegluurd, telkens als ik ook maar een glimp van hem kon opvangen? Vooral met mijn linkeroog, want het eiland lag links van het pad?

Als ik nu thuis in het grote bed zou schuiven, zou zus merken dat ik niet meer plat was. Zoals ik vroeger had gemerkt hoe er bij haar eerst beukennootjes groeiden, dan hazelnoten, dan walnoten, dan halve kokosnoten. De laatste maanden waren haar borsten ineens weer gaan groeien, hoewel ze al zo stevig waren.

Hoe groot zouden de mijne worden? Ik keek niet meer naar de mond, maar naar de borsten van zuster Maria die samen op en neer rezen terwijl ze verder vertelde. 'Niemand geloofde Bernadetje toen ze zei dat ze een mooie dame had gezien die zich de Onbevlekte Ontvangenis noemde.'

Daar vroeg ik niet meer naar. Daarover werden zulke vreemde dingen verteld dat ik pas echt goed bang werd. Het was een van die raadsels waarvoor de tijd nooit rijp zou worden, ook al werd hij rot.

'Zuster Maria, is de liefde een ziekte?'

'Ziek van liefde, dat bestaat. Maar ik denk dat de liefde ook genezing kan brengen.'

Hoe kon zij dat weten? Er waren geen mannen in het klooster, alleen die twee in het tuinhuis en die ene in de biechtstoel en op de preekstoel. Misschien kon je ook ziek van liefde zijn voor een hemelse bruidegom of verliefd worden op een beeld, een schilderij of een foto. Zuster Rigoberta staarde bij het bidden altijd naar de linkerkant van de foto van ons koningshuis, vanwaar onze vrome koning voorzichtig teruglachte. En zuster Josepha kon tijdens de geschiedenisles haar ogen niet losmaken van de foto die op de wereldkaart naast het machtigste land van de wereld was geprikt. De jonge president keek stralend terug. Een president was nooit zo goed als een koning, verzekerde zuster Josepha ons, maar deze was volgens haar de grote uitzondering. Hij was de eerste echte gelovige president van Amerika en ondanks zijn roem leidde hij een deugdzaam gezinsleven en strekte hij de hele wereld tot voorbeeld. Hij was ook de enige die de wereld zou kunnen redden van de Russen door de strijd om de verovering van de ruimte te winnen. Om de beurt schoten de Russen en de Amerikanen eerst beesten en dan mensen in de ruimte. Tot nog toe waren de Russen de Amerikanen altijd voor, maar dat zou echt niet blijven duren, beloofde zuster Josepha met glazige ogen. Ze zag er altijd ongelooflijk suf en dwaas uit als ze te lang naar die foto had gestaard, dan zag ze onze opgestoken vingers niet eens meer.

Volgens vader kon liefde doof en blind en dom en krachteloos maken. Kon liefde dat ook allemaal genezen of was daar een mirakel voor nodig?

'Zuster Maria, heeft iedereen recht op een mirakel?'

'Een mirakel gaat ons verstand te boven, Emma. Als we het zouden snappen, is het geen mirakel meer.'

'Kunnen mensen die niet geloven ook een mirakel krijgen?'

'Het zou niet eerlijk zijn als dat niet zou kunnen.'

'Misschien zou ik mijn zus kunnen helpen.'

'Als zussen elkaar niet kunnen helpen, wie zou het dan wel kunnen? Neem het Mariaflesje voor haar mee naar huis. Maria is een echte vrouw, zij begrijpt de vrouwen, zoals niemand anders ons begrijpt.'

Ons, had ze gezegd, of ik er ook al bij hoorde, bij de vrouwen. Was je al een vrouw als je nog maar kleine nootjes had? Wat was er nog meer voor nodig? Er moesten nog haartjes onder mijn armen komen. Bie zei dat er eerst van onderen haren verschenen die schaamhaar heetten. Ik schaamde me inderdaad dood om de mijne, om elk van de negen en ook om de drie stoppeltjes. Als ik de mijne zou laten zien, zou ik de hare mogen tellen, zei Bie. Maar dat durfde ik niet. Ik hoopte dat het bij twaalf haartjes zou blijven, dat leek me echt al meer dan genoeg.

Ik pakte het flesje en draaide het om. Maria's hoofd en borst stroomden vol. Het water kwam tot waar haar navel moest zitten, onder haar doorschijnende plastic kleren. Als ik ook doorzichtig zou zijn, zou ik kunnen zien wat er bij mij vanbinnen nog allemaal klaar zat om eruit te groeien.

Van dichtbij zag het beeldje er lelijk uit, de neus en vingers waren krom. Zou zoiets lelijks ooit een mirakel kunnen veroorzaken? Maar zuster Maria zag er niet dom uit.

'Bent u echt in Lourdes geweest?'

'De eerste keer zat ik nog op de verpleegstersschool. Ik was zo zenuwachtig toen ik voor het eerst de zieken mocht baden in het heilige water.'

'Ook de zieke mannen?'

'Ook de mannen.'

Voor ze verder kon vertellen en ik misschien zou zien wat zij had gezien, werd er op de deur geklopt. Zuster Maria maakte de deur open. 'Dag Bie. Volgens mij heb je weer eens last van slaapwandelen.'

Bie glipte naar binnen. Ze gaf me een vuile plastic roos. 'Ik kon niets anders vinden.'

'Bedankt, ook voor het opruimen.'

'Daar dient een engelbewaarder voor. En wat opruimen betreft ben ik wel wat gewend: paardenvijgen, koeienvlaaien, varkensstront...'

'Stop.'

'Bie, blijf een kwartiertje bij Emma, dan ga ik even naar de zieke zusters hiernaast.'

Toen de deur achter zuster Maria dichtviel, trapte Bie haar schoenen uit. 'Schuif eens op. En steek je voetjes bij de mijne. Dit is hier de enige plek waar het gezellig is. En straks trekt de mooiste zuster haar nachtkleed aan.'

'Waarom heeft ze geen man en kinderen?'

'Dat is een lang verhaal.'

'Echt gebeurd?'

'Wat een stomme vraag. Wat je niet weet, moet je verzinnen. Wil je het horen of niet?'

'Horen.'

'Lang geleden, toen zij nog Marie heette, was zij de jongste, de mooiste, de liefste van de honderdduizend verpleegsters die in Lourdes voor de zieken zorgden. Iedereen wou door haar gebaad worden. Naar haar kijken, haar zachte handen op je vel voelen, dat was al een mirakel op zich. Dagenlang had hij gewacht tot het zijn beurt was om door haar naar de grot gebracht te worden.'

'Wie?'

'Noem hem Mon. Van de honderdmiljoen zieken die op een mirakel hoopten was hij de knapste. Zelfs de Heilige Maagd en Moeder kon zien dat Mon en Marie voor elkaar gemaakt waren. Maar... zoveel leven als er in Mon zijn bovenkant zat, zo bewegingloos was zijn onderkant.' Bie wees van haar navel naar haar tenen. 'Vanaf hier, zo dood als een pier! Op een dag, er hing onweer in de lucht, duwde Marie de zware kar met Mon erin naar de grot. Bij het klimmen leunde ze naar voren, hij naar achteren tot haar kin zijn voorhoofd raakte. Met beide handen hield Mon zijn kaars vast. Er zat een papieren lantaarn rond, om de vlam tegen de wind te beschermen. Maar de wind wakkerde aan en de kaars waaide keer op keer uit. Elke keer boog Marie zich over Mon heen om zijn kaars weer aan te steken. Hun haren raakten verstrengeld. De wind had haar kap en zijn hoed allang meegenomen. Voor het beeld van de Heilige Maagd en Moeder bad Marie als nooit tevoren. Ze legde ook nog een gelofte af. Als je echt een stevig mirakel wou, moest je eerst een zware gelofte afleggen. Je moest iets beloven dat onvoorstelbaar moeilijk zou zijn. "Als Mons onderkant weer bougeert," fluisterde Marie, "dan beloof ik dat ik U mijn verdere leven lang zal dienen. Dan wil ik alleen een hemelse bruidegom. Al de rest zal ik opgeven." De wind nam haar woorden mee tot bij de stenen oren van de Heilige Maagd. Toen ze weer naar beneden moesten, stak de storm pas goed op. Bliksem en donder en hagelbollen, als eieren zo groot. Iedereen vluchtte. Marie en Mon waren de laatsten in de rij. Marie trok de grote grijze kap over de kar. Die kap was groter dan de grootste paraplu. Als hij dicht was, zat je onder een tentje. Mon bleef droog, maar algauw was Marie kletsnat. "Kruip er ook onder," zei Mon, "er is plaats genoeg." Marie aarzelde, maar kroop toen mee onder de kap. Er was plaats genoeg. "Trek mijn natte kleren uit of ik krijg nog een longontsteking," zei Mon. Marie wou niet dat Mon een longontsteking kreeg. Ze was toch een verpleegster?'

Bie frutselde aan de knopen van mijn nachtkleed. 'O la la, wat voel ik? Heb ik het dan toch goed gezien?'

Ik duwde haar vingers weg. 'Stop.'

'Ik zwijg al.'

'Ga door.'

'Je weet niet wat je wilt.'

Ze had gelijk. Ik wist niet wat ik wou. Aangeraakt worden

of niet. Niet alleen mijn hals en wangen, maar ook mijn knopjes bloosden. En ik zat onder het kippenvel, niet alleen aan de buitenkant, maar ook aan de binnenkant. Ik wou Mon zijn en tegelijk ook Marie. Maar voor alles wou ik weten hoe het verder ging, ook al was het verhaal van a tot z verzonnen. 'En toen?'

'Marie trok zijn kleren uit.'

'Alles?'

'Bloter kon niet.'

Ik hield mijn adem in. Zou Bie vertellen wat Marie zag?

'Mons kaars stond rechter dan recht. Hij fluisterde: "Trek je natte kleren ook uit, Marie, of je krijgt zelf een longontsteking." Marie gehoorzaamde. Ze mocht natuurlijk geen longontsteking krijgen. Ze moest nog duizendmiljoen zieken wassen. Mon zong in haar oor.

En steek uw voetjes bij de mijn, bij de mijn, bij de mijn.
En o, wat zal dat warm zijn, warmer nog dan warm zijn!

Warm was het verkeerde woord. Als Bie nu niet stopte met in mijn oor te zingen en met haar voeten over de mijne te wrijven zouden er brandblaren van komen en zou de koortsthermometer straks uit elkaar knallen. Er zat geen vies eten meer in mijn buik, maar toch schoven er stukjes heen en weer. En natuurlijk waren de mieren er weer. Ze beten. Overal. Nog even en ik zou overgeven zonder dat ik iets gegeten had en flauwvallen en doodziek worden.

'Niet alleen hun voeten gloeiden, maar ook hun handen, hun mond... Als iemand die kar had zien staan, had hij rook vanonder de kap zien opstijgen. Bij zo'n laaiende hitte moest Mons onderkant wel in beweging komen. Het wonder geschiedde.'

Dikke druppels reisden onder mijn plastic huid, vanwaar mijn navel zat onder mijn doorschijnende kleren tot mijn scheve tenen en terug. Ik werd vloeibaar. Straks stroomde ik nog over.

'Ik zie dat Emma weer kleur op haar wangen heeft.'

Bie sprong uit mijn bed en trok gauw haar schoenen weer aan.

Zuster Maria trok mijn laken goed. 'Het bezoek heeft Emma deugd gedaan, Bie, maar nu moet ze rusten.'

Toen Bie de deur uit was, verdween zuster Maria achter een kamerscherm. Ze kwam weer tevoorschijn, zonder kap, zonder slaapmuts, in een lichtblauw nachtkleed. Ze liep niet door de ziekenzaal, ze zweefde, traag en statig. Maakte ze zich elke avond zo mooi voor haar hemelse bruidegom? Zou ze een plekje voor hem vrijlaten in haar bed? Zou hij komen? In het echt of in haar dromen? Misschien maakte dat niet uit, als er maar iemand kwam om je te warmen.

Zuster Maria neuriede zachtjes terwijl ze de gordijnen dichttrok. Ik wou op haar schoot kruipen, mijn armen om haar nek slaan, mijn hoofd tegen haar borsten leggen, zelfs bij haar drinken, hoewel de gedachte aan melk uit borsten me een halfuur geleden nog vreselijk vies had geleken. Alsof een vrouw ook een zeug was met mest aan haar poten, en mensen in niets verschilden van beesten.

Misschien had zuster Rigoberta gelijk en wenden vuile gedachten nog sneller dan de tijd tussen twee donderslagen in. Volgens haar wenden vuile manieren zelfs nog sneller dan de tijd tussen het begin en het einde van een bliksemflits. En dat was pas snel.

Maar Bie had ook gelijk: zuster Maria was tien keer mooier dan de kleine Maria van de bevende linde, honderd keer mooier dan de vuile Maria in de namaakgrot en duizend keer mooier dan de gouden Maria in de kapel van de nonnen. Ze paste niet in dit klooster. Maar ze was een vrouw van haar woord. Zij wist wat het betekende: belofte maakt schuld.

Zus en ik hadden beloofd dat we elkaar nooit ofte nimmer in de steek zouden laten. Misschien kon ik van hieruit om een mirakel vragen als ik tegelijk een gelofte aflegde. Ik zou afstand kunnen doen van een geliefde, maar dan moest ik er natuurlijk eerst een hebben. Zoveel mogelijkheden had ik hier niet. Het kwam er dus op aan om elke kans te grijpen. Als ik zo verliefd was dat het zeer deed, kon ik beloven: 'Als zus geneest, wil ik alleen een hemelse bruidegom. Al de rest zal ik opgeven!'

Met haar duim tekende zuster Maria een kruisje op mijn voorhoofd. 'God zegene en beware u, mijn kind.'

Of je nu geloofde of niet, in een almachtige God die overal tegelijk op hetzelfde moment kon zijn, in de hemel, op de aarde en op alle plaatsen, en die je kon zegenen en bewaren of het niks was, dat deed er nu allemaal niet toe. Haar duim was zo warm en zacht dat ik alles, maar dan ook alles, wou geloven wat ze zei.

'Zuster Maria?' Mijn stem klonk hees, of ik urenlang gezongen had.

'Emma.'

'Gelooft u in mirakels?'

Ze knikte. 'Zeer zeker in het grootste.'

Het kon niet anders dan dat ze de liefde bedoelde.

RIJEN IS PLEZANT

'Weet je al wat je morgen zult biechten, Emma? Biechten is als schaatsen: het helpt als je oefent.' Bie ging op een omgekeerde emmer zitten. 'Pater Ezechiël staat geheel en al tot uw beschikking, mijn kind.'

Karlien en Mirjam hielden elk een bezemsteel omhoog. Berta knoopte een touw aan de stelen. Met wasknijpers maakte Silvana er twee dweilen aan vast. Bie schoof de dweilen wat uit elkaar en leunde naar voren, door de opening heen. 'Kniel, mijn kind. Pater Ezechiël luistert.'

Een echte biechtstoel zag eruit als een hele brede en hoge kast met drie hokjes. In het middelste hok zat pater Ezechiel achter een halve deur. Je zag zijn lange paterskleed om zijn wiebelende benen golven. Zijn bovenkant kon je niet zien, maar je kon hem wel horen brommen als een bij. Links en rechts van zijn hok waren twee smallere hokjes met een half gordijn ervoor. Aan elke kant knielde een meisje. Aan de benen kon je meestal wel zien wie het was. Wie aan de beurt was om te biechten leunde zo ver mogelijk voorover, naar het middelste hok toe. Door de gaatjes van een houten raampje fluisterde ze al haar zonden richting pater Ezechiël. Als ze te stil fluisterde of iets ergs vertelde, bromde pater Ezechiël niet meer als een bij maar als een beer en dan schopten zijn schoenen nerveus tegen zijn paterskleed. Voor straf moesten we na het biechten bidden. Bie en Karlijn maakten er een wedstrijd van: zo lang mogelijk biechten, zo veel mogelijk zonden, zo veel mogelijk straf. Maar ze mompelden alleen de beginzin en eindzin van hun strafgebeden, omdat iedereen hier het midden toch wel kende en God zeer zeker.

'De biecht verlicht,' zong zuster Wisigonda, maar ik bleef die hele poppenkast griezelig vinden.

Voorzichtig knielde ik aan de andere kant van de dweilen. Ze stonken naar rotte kaas. En ik kon niet verder naar achteren. Ook al hadden Julia en Silvana de meeste spullen aan de kant geschoven of op elkaar gestapeld, de bezemkast barstte weer eens uit haar voegen.

Bie liet haar stem zakken. 'Je kunt pater Ezechiël alles vertellen. Hij zwijgt als het graf.'

'Biechtgeheim,' Silvana en Mirjam schudden aan de dweilen. 'Maar de gordijnen hebben oren. Wat je biecht duikt later soms op in een preek of in een godsdienstles.'

Bie duwde hun handen weg. 'Spreek vrijuit, mijn kind. Alles blijft onder ons.'

Ik aarzelde. 'Vertellen jullie alles?'

'Min of meer.' Karlien wiebelde met haar hoofd. Was dat schudden of knikken?

'Meer min dan meer. Weet je nog hoe je moet beginnen?'

'Vader, ik heb gezondigd.'

'Niet zo luid, fluister en doe of je er al spijt van hebt nog voor je het gebiecht hebt. Biecht eerst een onnozele zonde.'

'Echt gebeurd?'

'Als het maar echt gebeurd zou kunnen zijn.'

Wat zou een onnozele zonde zijn? Ik gokte: 'Ik ben ongehoorzaam geweest.'

Bie klakte met haar tong. 'Emma is nooit ongehoorzaam.'

'Maar ik wou het wel zijn. Telt dat ook? Ik wou tegen de nonnen roepen: "Vreet die rotzooi zelf op! Maak mijn brieven niet open! Wat je zegt, dat ben je zelf!"'

Bie floot. 'Eindelijk wordt Emma wakker. Beter laat dan

nooit. Een goed begin, mijn kind. Maar pater Ezechiël weet wel zeker dat er nog iets ergs is dat je hem wilt vertellen. Je zult je daarna lichter voelen.'

Mirjam stootte me aan. 'Nu kun je een grotere zonde biechten. Het moet in stijgende lijn.'

'Ik heb gevloekt.'

'Wat zei je?'

'Nondepatatjes.'

'Dat is geen echte vloek. Er moet God in voorkomen of djuu, dat is ook God, maar dan in het Frans.'

Dan beging vader zowat dagelijks een grotere zonde, elke keer als zus later thuiskwam dan was afgesproken, elke keer als zus me na een kwartier met de volle boodschappenmand naar huis stuurde en zelf nog verder slenterde terwijl we alles allang hadden gevonden.

'En als er zowel God als djuu in voorkomt?'

'Dan telt het dubbel.'

'Geef miljaardedjuugodvernondedomme mijn moeder terug.' Nog nooit had ik Julia zo'n lange zin horen zeggen.

'Voor die vloek moet iemand anders meer dan een miljoen weesgegroetjes bidden, maar bij Julia is het geen zonde.'

Julia maakte het gebaar waarvoor Wiske van de bakker van school was gestuurd.

'Zelfs dit wordt u vergeven, mijn kind. Emma, ik wacht nog altijd op een grote zonde.'

'Is liegen een grote zonde?'

'Vooral tegen je ouders liegen, of tegen de zusters, of tegen pater Ezechiël. Heb je gelogen, Emma?'

'Iets niet vertellen, is dat ook liegen?'

'Een interessante vraag, mijn kind.'

Allemaal keken ze nu naar mij. Ik werd weer eens roder dan de roodste kool.

'Moet ik oude leugens ook biechten?'

'De leugen verjaart niet, niet na een maand, niet na een jaar.'

‘Wat als ik niet anders kon? Wat als er een nog vreselijker zonde van zou komen als ik niet zou liegen?’

‘Pater Ezechiël is één en al oor.’

‘Ik bracht brieven van zus naar Jef en van Jef naar zus. Ze waren zo verliefd dat het zeer deed, maar niemand mocht het weten.’

Bie floot. ‘Je zus en de tuinman?’

‘Toen vader een brief vond, brulde hij: “Ik sla eerst die vuile wildeman dood en dan met dezelfde hand...” Hij smeet Jef eruit. Toen werd het moeilijker om de brieven bij Jef te krijgen, maar het lukte me toch.’

‘Zou je voor mij ook brieven willen wegbrengen?’ Bie duwde de dweilen uit elkaar.

De anderen sisten: ‘Pater Ezechiël!’

‘Het is al goed. Wat stond er in die brieven, mijn kind?’

‘Ik heb ze niet gelezen.’ Ik gloeide van mijn oren tot mijn tenen. Iedereen kon zien dat ik loog. Ik wist dat het niet mocht, maar ik las ze toch. Het was sterker dan mezelf. Jef en zus maakten afspraakjes op plekken waar niemand hen kon zien, in de tuinhuizen van de volkstuintjes, in de stal bij de boomgaard achter het kerkhof. Niemand kende de tuinhuisjes en stalletjes van het dorp beter dan Jef. Zus mocht nergens naartoe zonder mij, maar ze liet me altijd bij de ingang van de volkstuintjes of bij de kerkhofmuur wachten en tot vijfhonderdduizend tellen. Als ik de tel kwijtraakte of klaar was met tellen voor ze terug was, moest ik opnieuw beginnen.

‘De pater voelt dat er een reuzegrote zonde spartelt die eruit moet.’ Bie schoof heen en weer op de emmer. ‘Wat zegt het negende gebod, mijn kind?’

Ik telde op mijn vingers. ‘Wees steeds kuis in uw gemoed.’

Toen ik in de klas eens had gevraagd welk lichaamsdeel het gemoed was, had ik geen antwoord van zuster Rigoberta gekregen, maar straf. Honderd keer de tien geboden schrijven.

Ik kon ze dus wel dromen. Het zesde vertelde hetzelfde als het negende: doe nooit wat onkuisheid is. Geen enkel ander gebod stond twee keer in het rijtje. Het moest dus wel het belangrijkste zijn, maar tegelijk was het ook het minst duidelijke. Lastige vraagstukken, de tochten van Alexander de Grote, de kronkels van de Amazone, Latijnse werkwoorden... alles legden de nonnen haarscherp uit, maar die twee geboden kregen ze niet echt uitgetekend, dan fladderden ze altijd met hun handen of ze een vervelende vlieg moesten wegslaan.

'Schreven ze onkuise dingen, mijn kind? En bleef het bij onkuisheid in woorden, of broeide er ook onkuisheid in blikken en in daden?'

'Als je schrijft: ik heb je lief, is dat dan onkuis?'

'Schreef hij niet dat hij wilde rijen op een karretje zonder wielen?' Bie schuifelde naar voren op haar emmer.

En rijen is plezant,
en rijen is plezant,
rijen op een karretje zonder wielen!

Door een groezelig venster zag ik stukken zus en Jef om elkaar heen wentelen. Een streep gebruinde huid van Jef, een strookje blank vel van zus. Jef, zus, Jef, zus. Ze draaiden op hetzelfde ritme, als bij touwtjespringen of hoelahoep met twee. Maar algauw knarste alles in mijn hoofd, de bewegingen stokten en een vuil gordijn werd voor het venster getrokken.

Bie snoof. 'Rijen is plezant, zolang je niet moet kotsen.'

Met beide handen duwde ik Bie van de emmer. Bezems en mattenkloppers donderden neer op onze hoofden. Allemaal keken ze verschrikt naar de deur. Het kon me geen barst schelen als zuster Josepha ons hoorde. Dan sleurde ze me maar uit de kast, dan sloeg ze me maar bont en blauw.

Bie moest haar vuile mond houden. En het werd tijd dat ik de mijne opentrok.

BORSTEN ZOALS KLOKKEN

'Voorzichtig, Emma, prik deze keer niet in je vinger.' Zuster Agatha had haar zin nog niet afgemaakt of het was al zover. Ik stopte mijn vinger gauw in mijn mond, zodat er geen bloed op mijn naailap zou vallen, zoals eergisteren. Het smaakte niet zoet en niet zout.

Ik haatte handwerken. Ik mocht naaien, haken, weven, breien tot ik erbij neerviel, ik bakte er echt niets van. Ik droomde altijd weg en dan verknoeide ik zelfs de simpelste opdrachten.

Vorige week hadden we roze sokjes gebreid voor de arme weeskindjes van Ouagadougou. Julia, Berta en ik hadden zelfs nog de halve zaterdag en de hele zondag moeten breien, terwijl de anderen naar huis mochten. Eindelijk kon ik dan de achtentwintigste dag doorstrepen op mijn kalender en mijn koffer dichtklappen. Die zaterdagmiddag stond ik te wankelen op mijn benen, terwijl het ene na het andere meisje door haar vader of moeder werd opgehaald. Om het halfuur kwam zuster Rigoberta naar de speelplaats. Ze riep de namen af van de gelukkigen op wie iemand in de ontvangstkamer zat te wachten. De angst beet in mijn keel toen ook Karlien werd opgehaald en ik als laatste overbleef. Er was iets gebeurd, iets ergs. Als de Russen ons echt hadden aangevallen, ondanks de vurige gebeden van de nonnen, dan zouden de andere families toch ook getroffen zijn? Nee, het was slecht afgelopen met zus, zo slecht als maar kon.

Na een halfuur dat wel een jaar leek te duren, kwam moederoverste vertellen dat vader had gebeld om te zeggen dat zus zieker was geworden, maar volgende maand wel weer beter zou zijn. Volgende maand! Ik vroeg of ik naar huis mocht bellen, maar dat was echt niet nodig, zei moederoverste. 'Je weet wat je moet weten, Emma. En ik wil niet één traan zien. Julia en Berta mogen altijd maar om de drie maanden naar huis. Er zijn zelfs kleuters die maar twee keer per jaar naar huis gaan. En in het weeshuis hiernaast wonen kindjes die nooit, maar dan ook nooit naar huis kunnen, omdat ze niet eens een huis hebben. Dus slik je tranen in. Aan het werk! Er is genoeg te doen: eerst huiswerk, dan lessen, dan breiwerk.'

Eerst huilde ik mijn schriften en boeken nat, toen werd ik ongelooflijk kwaad. Ik trok bij het breien zo hard aan de roze draden dat de sokjes die ik dat weekend breide zelfs niet om de kleinste teen van Duimelijntje zouden passen. Zuster Agatha probeerde ons te troosten met de belofte dat er een foto zou komen uit het weeshuis van Ouagadougou. Daarop zouden al de zwarte kindjes staan met onze sokjes aan, in de armen van de zwarte nonnen en van de witte moederoverste die ooit nog als kind op deze kostschool had gezeten. De baby's die mijn sokjes zouden dragen, zou je zo kunnen aanwijzen op die foto. Ze zouden moord en brand schreeuwen omdat hun sokjes zo hard knelden.

In onze klas hingen al foto's vol kleine Chineesjes met bruine sjaals die dikke bobbels rond hun nekjes vormden, en vol Russische weeskinderen met grijze truien die tot hun tenen reikten. Dagelijks moesten we bidden 'voor de bekering van de ongelovige vreemde volkeren, inzonderheid de Russen en de Chinezen'. Zij vormden immers het grootste gevaar voor de mensheid. De Russen het rode gevaar en de Chinezen het gele. Omdat bidden en breien volgens zuster Agatha zo mooi samengingen, kregen de Russen en de Chinezen niet alleen vurige gebeden, maar ook nog boten vol breiwerk toegestuurd. Echt opgetogen zagen ze er niet uit op die foto's. Voor hen gebruikten we nooit nieuwe wol, maar werden er muffe oude kleren uitgetrokken. Volgens Bie waren ze van dode nonnen. Truien uittrekken lukte me nog, de kronkelende halfvergane draden tot een bol draaien ook, maar nu moesten we hagelwitte kussenslopen borduren. De kruisjessteek leek eenvoudig, de hele tijd altijd maar hetzelfde, maar als die steekjes niet precies even groot waren en netjes op een rij stonden, zag het er ongelooflijk rommelig uit.

Bijna iedereen had de rand van rode bloemetjes al af en was aan de zeventien letters begonnen: *Welkom koningskind.* Samen met het koningspaar op de foto boven het bord verwachtte het hele land een kind. Het koningskind zou duizenden kussens krijgen van de onderdanen, maar de onze zouden de mooiste zijn. Moederoverste zou ze persoonlijk bij het paleis gaan overhandigen. Deze koningin was volgens haar de vroomste koningin die het land ooit had gekend en daarom was ze een voorbeeld voor alle vrouwen. Moederoverste vertelde dat de koningin nooit klaagde, ook al voelde ze zich slap en misselijk, nu het koningskind in haar schoot groeide. Van moederoverste moesten we niet alleen aan Maria, maar ook even aan de koningin denken als we baden: 'Gezegend zijt gij boven alle vrouwen en gezegend is de vrucht van uw lichaam.' Want dat zou haar sterken. Elke keer als ik die zin hardop of in stilte uitsprak zag ik niet alleen Maria en de koningin voor me, maar ook zus die ook wel wat versterking kon gebruiken.

'Emma, dat is geen bloem maar een scheve cactus.' Zuster Agatha hield mijn sloop omhoog. Iedereen moest lachen. Alleen Julia's roosje zag er nog krommer uit. Terwijl de anderen ingewikkelde dingen naaiden, moesten Julia en ik meestal de randen en boorden omspelden. Spelden waren voor de kleine meisjes. Naalden waren voor de grote meisjes die in één keer de draad door het oog van de naald konden steken, die konden naaien zonder zich te prikken en die roosjes afwerkten die op echte bloemen leken. Maar voor het koningskind moesten zelfs de onhandigste meisjes hun uiterste best doen.

Eén lichtpunt was er tijdens deze verschrikkelijke uren. Om de beurt mochten we voorlezen uit het dikke boek waarin de gewijde geschiedenis stond of uit het boek met heiligenlevens. Het was ongelooflijk hoeveel heiligen er ooit hadden rondgelopen en wat ze allemaal hadden meegemaakt. Als we lang genoeg zeurden, wou zuster Agatha soms wel vertellen over de heilige naar wie zij genoemd was. Dat verhaal kende ze uit het hoofd, van de eerste letter tot de laatste.

'Woonde Agatha echt op een eiland met een vulkaan?'

'Is het meer dan zeventienhonderd jaar geleden gebeurd?'

'Was ze blanker dan een lelie, zachter dan een lam en mooier dan... Vertel nog eens hoe mooi ze was, zuster Agatha?'

'Goed was ze, meisjes, want dat betekent Agatha, de goede, en ze was ook nog zeer gelovig.'

'Even vroom als onze koningin?'

'Meisjes toch!' Zuster Agatha zwaaide met haar armen.

We keken elkaar aan. Het was gelukt. Zuster Agatha liep niet meer rond, ze leunde tegen het raam, haar blik op oneindig. Of ze weg zou vliegen naar dat verre zuiderse eiland, of ze de rokende pluim zag die uit die kratermond opsteeg en glimlachte naar de schone Agatha die door de stad zweefde.

'Toen de rijkste, de machtigste man van de stad Catania, de stadhouder Quintianus, Agatha zag, trof een bliksemschicht hem recht in het hart. Hij werd verliefd op haar, een allesverzengende, nietsontziende liefde trof hem als een dodelijke ziekte. Nog nooit in zijn hele leven had hij zo erg naar iemand verlangd. Hij was een reus van een kerel, met koolzwarte ogen, met armen als boomstammen, een stem als een klok.'

Als we vroegen of de stadhouder Quintianus verder ook nog op pater Ezechiël leek, raakte zuster Agatha altijd de draad van haar verhaal kwijt. Dus knikten we alleen maar.

'Niet groter dan een klein vogeltje was Quintianus toen hij Agatha bekende hoezeer hij haar begeerde.'

Ik vond het een prachtig woord: begeren. Hoe lang zou het nog duren voor ik begeerd zou worden? Zus wist hoe het voelde. Hoewel het verkeerd kon aflopen, wou ik het zelf ook voelen, ook al betekende het dat vader zou dreigen mij ook te vermoorden.

'Agatha luisterde beleefd naar wat de stadhouder zei, maar antwoordde dat haar liefde geheel en al uitging naar Christus. De stadhouder gaf Agatha meer tijd om na te denken. Ze was nog zo jong. Ze had nog wat tijd nodig en hij kon niet geloven dat ze hem niet wou hebben. Maar ook de tweede keer zei Agatha nee. En de derde keer.'

We hielden allemaal onze adem in. Je kon een speld, of beter: een naald, horen vallen in het lokaal. Zuster Agatha keek ons een voor een aan. 'Dag en nacht zag de stadhouder de schone Agatha voor zich. Hij at niet meer, hij sliep niet meer. Zijn koolzwarte ogen werden dof, zijn ravenzwarte haren kleurden grijs. Als ze minder van die Christus zou houden, als hij haar geloof kon breken, dan zou hij misschien een kans maken. De stadhouder bedacht een list. Hij zou Agatha opsluiten op de meest losbandige plek van de stad. Niemand bleef rein in een bordeel. In dat huis vol gevallen vrouwen, waar dagelijks honderd wellustige mannen kwamen om hun lage lusten te botvieren, zou Agatha vast en zeker aan haar geloof verzaken.'

Vader zei dat de verhalen die de gelovigen vertelden slaapverwekkend waren, maar ik wist wel zeker dat hij bij dit verhaal niet in slaap zou vallen. Thuis had niemand ooit over een bordeel verteld, zelfs niet in het gruwelijkste sprookje.

'De stadhouder stuurde een lichtzinnige vrouw op Agatha af. Ze droeg de prachtigste kleren, de duurste sieraden en verstopte haar wulpse aard achter een onschuldige glimlach. Ze lokte de kuise Agatha mee. Agatha dacht dat ze niets verkeerds zou doen als ze een huis vol vrouwen zou bezoeken. Maar de deur viel achter het meisje dicht en werd dubbel op slot gedraaid. En wat het arme kind zag en hoorde, toen bij het vallen van de duisternis de vunzigste mannen van de stad hun opwachting maakten... Meisjes toch!'

Zelfs de ijverigste meisjes hielden hun naald nu onbeweeglijk boven hun kussensloop voor het koningskind.

'O, de stadhouder was zo zeker van zijn zaak. Bij zoveel slechte voorbeelden zou Agatha wel bezwijken en verleid worden tot onverantwoorde daden. De gevallen vrouwen praatten op Agatha in: "Waarom in een hoekje treuren en al dat frisse groen laten verslensen? Waarom niet met volle teugen genieten van de bloei van uw jeugd? Heden rood, morgen dood!" Maar wat voor smerige dingen ze ook zag of hoorde, Agatha hield stand. De stadhouder ontstak in razernij. Hij liet haar in de diepste kerker werpen en dacht na: wat zou de allerwreedste foltering zijn?'

Nu stak iedereen een vinger op. Zuster Agatha glunderde.

'Werd ze helemaal uitgekleed en overgoten met vloeibaar lood?'

'Nee, dat deden ze met de Heilige Juliana, omdat ze ook niet met een heiden wou trouwen.'

'Werden haar ogen uitgerukt en op een schotel gelegd?'

'Dat was bij de Heilige Lucia, die een gelofte van eeuwige kuisheid had afgelegd.'

Dat was ook al zo'n prachtig verhaal. Lucia zou ook naar een bordeel gebracht worden omdat ze een heidense bruidegom afwees. Maar de ossen die haar wagen trokken, weigerden om ook maar één stap te zetten. In de bezemkast legden we ook onze geloften van eeuwige kuisheid af, en Mirjam en ik weigerden altijd om de mattenklopper te trekken waar Berta op zat.

'Werd ze in een harnas gestopt met scherpe pinnen aan de binnenkant?'

Zuster Agatha keek me boos aan. 'Dat was bij Blauwbaard, Emma, en dat is een sprookje, niet eens een fatsoenlijk sprookje en echt geen heilig verhaal.'

Dat wist ik natuurlijk, maar ik kon het niet laten om er even naar te vragen en dan mijn hand voor mijn mond te slaan en heel berouwvol naar mijn schoenen te staren.

De anderen haastten zich om weer de juiste vragen te stellen. 'Werd haar vel met ijzeren kammen aan flarden gekamd?'

'Dat was de Heilige Barbara. Haar vader begeerde zijn bloedeigen dochter. Toen ze hem weigerde sloot hij haar op in een toren.'

Dat vonden we allemaal een afgrijselijk verhaal. Als dat verteld werd, werd er geen steek genaaid, geen tik gebreid, geen lus gehaakt. Barbara's vader kon niemand anders zijn dan de duivel in hoogsteigen persoon. Geen straf was erg genoeg voor hem. En niemand wou hem spelen in de bezemkast, zelfs Bie niet.

'Werd ze met pijlen doorboord?'

'Dat deden ze met de Heilige Ursula toen ze weigerde het bed met een heidense koning te delen.'

In dit verhaal vielen verreweg de meeste doden. En allemaal meisjes. Geen van de elfduizend maagden die met de Heilige Ursula op pelgrimstocht gingen, overleefde de reis. Ze werden door de Hunnen beestachtig aangerand en afgeslacht. Elfduizend dode maagden, dat was een torenhoge hoop lijken, middenin een plas, een meer, nee, een zee van bloed.

Als we in de bezemkast een verdacht geluid hoorden, fluisterde Bie dat de Hunnen eraan kwamen om ons beestachtig aan te randen, en om daarna hun wrede kromzwaarden in onze weke buiken te drijven tot ons bloed de kast zou vullen tot ver voorbij het sleutelgat.

'Werden haar tanden een voor een uitgetrokken?'

'Dat was bij de Heilige Apollonia. Nee, wat de stadhouder

voor Agatha bedacht was nog veel en veel erger... Zo erg dat een gewoon mens zich zoiets niet kan voorstellen!'

We wisten wat zou komen, we vonden het allemaal zo afgrijselijk gruwelijk en toch wilden we het horen, onze oren wijdopen, onze mond halfopen, onze armen voor onze borsten gekruist.

Zuster Agatha fluisterde. 'Met de grootste, de vuilste, de venijnigste tangen werden haar jonge borsten van haar weerloze ribben gerukt.'

We zuchtten. Er was niet één meisje dat de koude tangen niet op haar vlees voelde. Er was niet één meisje dat niet rilde en knipperde bij de gedachte alleen al. Er was niet één meisje dat niet voelde of haar borsten er nog zaten.

Naalden prikten in mijn knopjes, nog erger dan anders.

Bie zei dat dat goed was: 'Voor groei en bloei.'

Ze prikten en groeiden nu elke dag en de rechter had de linker intussen al bijna ingehaald. Bie beweerde dat al de rest nu gauw zou volgen en dat het keuzeke weldra zeug zou zijn.

Zuster Agatha siste: 'De dwingeland, ooit zelf gezoogd door een vrouwenborst, schond onbeschaamd de tere bloesems van de maagd, maar Agatha had nog een verborgen borst, diep vanbinnen, haar Redder toegewijd. Geen mens kon die borst schenden. De afgerukte borsten werden op een zilveren schaal gelegd en aan de hele stad getoond. Zodat iedereen zou weten wat er gebeurde als de stadhouder zijn goesting niet kreeg.'

Onder de bank grepen we elkaars handen. Wat zou het ergste zijn? Dat iedereen zomaar naar je borsten kon staren? Of dat het bloed over je heen gutste, over je buik en benen en knieën en kousen, tot je schoenen gevuld waren met bloed? Zoals bij die twee vreselijke stiefzusters van Assepoes toen de ene haar tenen en de andere haar hiel eraf hakte, om toch maar in dat kleine glazen schoentje te passen en de prins te krijgen. Nooit zou ik zoiets doen om de prins van mijn dromen te krijgen.

Zuster Agatha snoot haar neus. 'De hemel schreide bij zoveel onrecht. Terug in de kerker kreeg de gewonde Agatha hulp van boven.'

Ik stak mijn vinger op. 'Ging er een engel bovenop haar liggen, zodat geen man bij haar kon komen?'

'Bijna goed, Emma, maar dat was wel bij de Heilige Cecilia. Ook al was ze getrouwd, Cecilia wou haar gelofte van kuisheid niet verbreken en toen ontfermde de engel zich over haar. Waar de engel lag, daar kon haar man niet komen. Nee, Agatha werd door de heilige Petrus zelf bezocht in haar kerker. Met zijn tedere aanrakingen heelde hij de beide bloedige wonden.'

We smolten. Was dat niet prachtig? Geen meisje in de klas dat geen kippenvel had.

Ik droomde soms van de heilige Petrus en zijn tedere aanrakingen in mijn donkere chambrettekerker. Dat ging ik niet biechten. Dat was toch echt meer een vrome gedachte dan een wellustig beeld.

Zuster Agatha dempte haar stem: 'Maar nog was Agatha's lijden niet ten einde. De volgende dag werd ze over brandende kolen gerold waar ook nog glasscherven tussen lagen. Tot de dood erop volgde. Ze werd in Catania begraven. Een jaar na haar dood werd de stad bedreigd door een uitbarsting van de vulkaan de Etna. De lavastroom rukte op, de stank en hitte waren niet te verdragen. Erger dan de hel leek het daar. Toen legden de gelovigen de sluier van Agatha voor de kolkende lavastroom. De stroom stopte. Haar sluier redde de stad van een ramp. Tot de dag van vandaag wordt de sluier in Catania als relikwie bewaard. Als de vulkaan ook maar één keer rommelt, wordt de sluier al naar de stadspoorten gedragen.'

Nu kwam het slot van het verhaal, het allermooiste stuk. Ik hoopte altijd dat zuster Agatha die zinnen heel traag zou uitspreken, en meestal deed ze dat ook. Ze sproeide dan ook altijd nog meer speeksel in het rond, maar dat vonden we dan niet zo erg als anders.

'Tot op heden, meisjes, tot op heden... is Agatha's lichaam nog gaaf. Net als de lichamen van de andere maagden en martelaressen. Omdat de godverloofde maagden de dood boven de zonde verkozen en zich alleen gaven aan de bruidegom der maagdelijke zielen, zijn hun lichamen niet aangetast.'

Daar werd ik elke keer zo warm en blij van. Ik wou zo graag geloven dat hun lichamen meer dan duizend jaar lang gaaf konden blijven. Hoe bloederig de verhalen over de maagden en martelaressen ook waren, ze stelden me ook gerust. Als er meisjes waren die zelfs heilig bleven in een bordeel met honderd wellustige mannen, dan zou het met mijn zondige gedachten, en met de zondige activiteiten van zus misschien nog niet zo vreselijk slecht aflopen. Ik wou zo graag geloven dat het allemaal goed zou komen, dat vader me nu gauw zou komen halen: 'Zus is beter, Emma, kom mee naar huis.'

Ik had al een bidprentje van de Heilige Agatha in mijn koffer gestopt. Dan kon zus zelf zien hoe die borsten op een schotel te kijk lagen alsof het broden waren. Dan kon zus zelf op de achterkant lezen hoe Agatha onze steun en toeverlaat was bij alle gevaren van het vuur: bij al te vurige liefde, bij vulkaanuitbarstingen, aardbevingen, onweer, brand, verkrachting en natuurlijk ook bij borstkwalen. Dat sprak voor zich. Had de Heilige Agatha mij geholpen om mijn borsten gelijk te krijgen? Misschien wel, misschien niet. Wie zou het zeggen? Maar het zou dom zijn om niet elke kans op hulp te grijpen.

'Nu genoeg verteld, meisjes, weer aan het werk!'

Ik probeerde mijn volgende bloem rechtop te laten staan. Welke marteldood zou ik bedenken voor wie de kruisjessteek had uitgevonden? Doorboren met honderd naalden? De nagels uittrekken? De gloeiende hellingen van de Etna laten borduren met de kruisjessteek? Wat die heiligen ook moesten doorstaan, geen van hen werd verplicht om de kruisjessteek te oefenen.

Ik draaide mijn lap om. Op de achterkant van mijn sloop zat een doolhof van draden. Ze kringelden door elkaar heen, maar zo gauw het kussen af was, zou je niets meer van de rommelige binnenkant kunnen zien. Zouden er onder en achter mijn gladde vel ook honderden slordige draden bungelen? Soms trok en stak het in mijn buik, of er daar iemand een hele sloop aan flarden scheurde.

Nog tien minuten en dan zou de bel klinken. Ik wou geen steek meer naaien. Met mijn pink duwde ik mijn speldendoos naar de rand van de bank en verder, tot ze op de grond kletterde.

'Emma, alweer!' Zuster Agatha schudde haar kap. 'Dat een meisje tegelijk zo slim en zo kinderachtig en zo onhandig kan zijn! Hoe kan die sloop ooit afraken? Gauw alle spelden oprapen.'

Toen de bel rinkelde, gooide ik de laatste speld in de doos. Tijd voor het vieruurtje, daarna vroege studie, avondmis, avondeten, late studie, naar boven, chambrette in, uniform uit, nachtkleed aan – van de nonnen moest het in de andere volgorde, maar dat vertikte ik intussen –, wassen, plassen, avondgebed, in bed, wachten op het ronken, uit bed, slaapwandelen, de bezemkast in.

Vannacht zouden de maagden en martelaressen de Hunnen vast en zeker in de pan hakken. Ik zou hun krijgslied meezingen, uit volle borst, de woorden die niet mochten uit nog vollere borst. En bij het zingen zou ik rondjes dansen met mensen met wie ik van vader niet eens mocht praten.

Ziet de boerinnen draaien in het rond.
We zien de kantjes van hun rokken.
En hier en daar een blote kont.
En borsten zoals klokken.

Wip wip wiere wiere wip

'Meisjes, ontvlucht alle gelegenheden tot zonde!' Pater Ezechiël leunde vervaarlijk ver over de rand van de preekstoel. Hoog rees hij boven ons uit in zijn houten toren. Ik wou ook wel eens op dat wenteltrapje klimmen en over de kruinen van de nonnen en de meisjes uitkijken en luidkeels roepen wat ik te zeggen had. Er viel een stuk van de lange gouden lap die pater Ezechiël om zijn nek droeg over de rand van de preekstoel, net als de haren van Raponsje die uit het torenraam stroomden. Maar het zag er niet naar uit dat pater Ezechiël wou dat er iemand langs die lap naar boven zou klimmen.

Vader noemde een preekstoel een idiote uitvinding voor de simpelen van geest die geen eigen mening hadden en dagelijks die van een ander overnamen. Maar roepen wat wel en niet mocht kon vader nog beter dan pater Ezechiël. Hij keek er altijd bij of hij minstens vijf meter hoger stond, ook al was zus even groot als hij en ik maar een half hoofd kleiner.

Ik mocht niet wegdromen, ik moest goed opletten en onthouden wat pater Ezechiël vertelde over de talloze gelegenheden tot zonde, want daar zou in de klas naar gevraagd worden. Er waren naaste gelegenheden tot zonde, die elke dag vlakbij op de loer lagen, en er waren gelegenheden die verderaf lagen. Een slechte herberg was een gelegenheid tot zonde die we moesten voorbijlopen, de ogen afgewend. Twee maanden geleden dacht ik nog dat als je buren een herberg hadden, dat een naaste gelegenheid tot zonde zou zijn. Nu wist ik beter.

'Een kind van mij zou beter moeten weten!' brulde vader ook tegen zus. 'Jef is niet de juiste jongen. Vergeet hem!' Ook al tierde vader tot hij schor werd, achteraf vertelde zus in bed dat ze Jef onmogelijk kon vergeten en dat de jongens die vader wel fatsoenlijk en geschikt vond, muf en saai en half bewusteloos waren.

Voor vader was Jef duidelijk een driedubbele naaste gelegenheid tot zonde, ook al gebruikte hij die woorden nooit.

'Boeken kunnen gevaarlijke gelegenheden tot zonde zijn. Daarom richt ik mij nu in het bijzonder tot de meisjes die over het leven willen lezen!' Ik schrok op uit mijn dromerijen.

'Het ech-te le-ven.' Elke lettergreep dreunde door de kapel. Dat ging over mij. Elke keer als we naar de boekenklas gingen vroeg ik zuster Paula naar boeken over het echte leven. Ik wou lezen over echte mensen, van vlees en bloed, die zoveel meer hadden meegemaakt en daar ook nog voluit over vertelden. Ik wou zien wat zij zagen, ik wou horen wat zij hoorden, dan zou ik ook weten wat ze wisten en voelen wat ze voelden. Ik wou lezen over liefde die ziek maakte en over liefde die genas, het liefst met heel veel tedere aanrakingen. Ik wou lezen over begeren en begeerd worden. Als ik regel na regel, bladzijde na bladzijde in de schoenen van die mensen zou rondlopen, zou ik groeien tot hun schoenen niet meer om mijn voeten zwabberden, maar naadloos pasten. Als ik maar genoeg over het echte leven en de grote liefde zou lezen, dan zou ik het later vast en zeker herkennen als het mij zou overkomen, en dan zou ik terugdenken aan de tijd dat ik het allemaal alleen nog maar van boeken kende.

Maar meestal gaf zuster Paula me een boek over suffe trezebezen die op kostschool zaten en daar nog blij om waren ook, hoewel ze nog geen honderdste beleefden van wat de maagden en martelaressen overkwam. Dat soort boeken lieten je krimpen, dat wist ik wel zeker. Berta beweerde dat in een encyclopedie alles stond wat de mensen wisten over het echte leven. En zuster Paula kirde altijd goedkeurend als ik de grote geïllustreerde encyclopedie van Larousse opensloeg. IJverig zocht ik naar woorden waarbij iets te ontdekken viel over het echte leven. Ik staarde naar uit hun vel gestroopte en dwars doorgesneden mensen. Ik zocht naar de verschillen tussen de doorgesneden vrouw en de doorgesneden man, zoals bij de zoekplaatjes op de kinderpagina in vaders krant: zoek de zeven verschillen. De buitenkanten stonden er niet helemaal op. Voor de evenaar, zo ongeveer bij de kreeftskeerkring, liet Larousse de bladzijden stoppen. In mijn hoofd maakte ik ze langer, zodat ook de onderkanten op het papier zouden verschijnen, maar dat wou niet echt lukken. De binnenkanten stonden er wel compleet op. Ze zagen er verontrustend rood en rauw uit, en het was bij de mensen vanbinnen nog een groter rommeltje dan bij de binnenkant van mijn kussensloop voor het koningskind. Bij elke holte en kronkel probeerde ik me voor te stellen dat die ook in mijn lijf zat. Dat ik twee eierstokken had die uitpuilden van de eitjes en ook nog een grot van vlees waarin zelfs een heel kind zou passen, vond ik niet echt geruststellend.

Er leek zoveel meer in een vrouwenbuik te kunnen dan in een mannenbuik. Voor ze vol kind zat, was een vrouw al zo hol als een Mariaflesje. Misschien was dat het grootste verschil tussen mannen en vrouwen. Ik staarde naar de negen opengespalkte dwars doorgesneden buiken op rij, elke buik weer wat boller en voller, naar de kindjes erin die eerst op visjes leken en dan elke maand wat meer kind werden, naar de allerlaatste tonronde buik, barstensvol opgevouwen kind, het hoofdje al op weg naar beneden. Het zweet brak me uit, maar ik kon niet anders dan er steeds weer naar kijken. Dat ik ooit in moeder had gepast leek me zo onwaarschijnlijk. En alleen al van de gedachte dat er ooit in mij een kindje zou passen kreeg ik nu al buikpijn. Als ik te lang met rode wangen naar dezelfde bladzijden zat te turen, kwam zuster Paula altijd zien wat er zo interessant was. Ook al bladerde ik dan gauw verder, je kon de boeiendste bladzijden in de Larousse snel terugvinden omdat ze meer verkreukeld waren dan de andere.

Vorig weekend hadden Julia, Berta en ik de halve zaterdag en de hele zondag in de boekenklas doorgebracht, terwijl de anderen weer naar huis waren. Opnieuw had vader op het laatste nippertje gebeld om te zeggen dat zus weer wat zieker was geworden. Ik wou dat hij mij naar de telefoon liet roepen. Ik wou dat moeder eens belde, of op bezoek kwam. Ik wou dat zus een brief schreef. Wel duizend brieven had ze aan Jef geschreven, maar haar eigen zus kreeg er niet één.

Keek pater Ezechiël nu kwaad naar mij omdat ik weer eens niet met mijn gedachten bij zijn preek was? Wat had ik gemist? Het was zo moeilijk om de hele tijd in de kille kapel te blijven als pater Ezechiël preekte. Voor ik het wist glipten mijn gedachten naar buiten, ze zwierven door gangen en refters en klassen, ze reisden over en weer naar huis en natuurlijk ook naar het duiveneiland. Ik keek zo berouwvol als ik kon, maar zijn strenge blik gleed al naar Bie en Karlien en Mirjam en de anderen. Ik herademde. Ik wist intussen dat hij echt geen gedachten kon lezen, maar ik was zo stom geweest om dat van de Larousse encyclopedie te biechten. Ik had een stevige straf verwacht, minstens honderd gebeden, maar ik was er met een tientje van afgekomen. En tien weesgegroetjes kon ik inmiddels in minder dan twee minuten aframmelen.

Pater Ezechiël verhief zijn stem. 'Een meisje kent het echte leven nog niet! Waar het ware geluk ligt kan zij nog niet weten. Wie denkt over het leven te kunnen leren door boeken te lezen?'

Bijna had ik mijn vinger opgestoken en ook nog geknikt. Ik moest opletten dat ik op het juiste moment knikte en schudde. Dat was vooral lastig als alles binnenin mij allang aan het knikken was, maar de nonnen of pater Ezechiël of vader alleen maar nee wilden horen. Het hielp als ik tijdens de preek naast zuster Paula zat. Ze schudde altijd zo krachtig dat haar kap en haar wangen nog even door bleven schudden als haar neus al stilstond.

'Meisjes, hoedt u voor slechte boeken...'

Nu spitste ik mijn oren. Over de gevaren van slechte boeken kon pater Ezechiël wel prachtig vertellen. Naar hem luisteren was misschien bijna zo spannend als die boeken echt lezen. En nooit had ik meer goesting om een boek te lezen dan wanneer pater Ezechiël had uitgelegd waarom het niet mocht.

'Hoedt u voor boeken die het vleselijke genot zoeken, die met opzet ontuchtige onderwerpen behandelen en de lage instincten prikkelen. Dat zijn boeken die de ware liefde verraden en aansporen tot de smerige daden die ze beschrijven! Verschrikkelijk zijn de verwoestingen die slechte boeken kunnen aanrichten! In het bijzonder bij jonge meisjes! Niets is erger dan een verlopen meisje, bedorven, stinkend, rot en veel gevaarlijker voor haar omgeving dan een besmettelijke ziekte... Daarom: slechte lectuur in het vuur!'

Dat was het voordeel van vuile liedjes zingen. Zolang je ze niet opschreef, kon niemand ze in het vuur gooien. Zou mijn sprookjesboek intussen opgestookt zijn of was het in de kast met de verboden boeken beland? Achter het bureau van zuster Paula stond een kast waarvan zij alleen de sleutel had. Wij mochten in de boekenklas alleen boeken uit de open rekken bekijken en dan nog besliste zuster Paula wie wat mocht lezen. Al wat in de gesloten kast stond was uitsluitend voor volwassenen bestemd, zelfs niet voor alle volwassenen, maar alleen voor de standvastigen in hart en ziel. Zuster Paula betwijfelde of ik ooit standvastig in hart en ziel zou zijn.

Vorige zondag had ze ons even alleen gelaten in de boekenklas. Terwijl Berta de wacht hield bij de deur, klom ik van de stoel van zuster Paula op haar bureau. Ik plakte bijna met mijn neus tegen de glazen deur van de kast en spelde de titels. Ik probeerde te bedenken waarover die boeken gingen. Bij titels als *De nachtelijke aanranding* of *De Française* kon ik wel een en ander verzinnen waar ik nog niet standvastig genoeg voor was. Maar *Zuster Virgilia* of *De Heilige Jan Mus* of *De Kapellekensbaan*, dat klonk toch allemaal echt fatsoenlijk, zelfs gelovig.

Bij *De Kapellekensbaan* zag ik een lange dreef met populieren voor me. Aan elke boom hing een kapelletje. Alle Mariatjes draaiden neuriënd in het rond. Ik zag de kantjes van hun rokken en hier en daar een blote kont en borsten zoals klokken. Aan het einde van de Kapellekensbaan stond een tuinhuis met een groezelig venster waardoor ik stukken zus en Jef kon zien, een beetje wazig, want het glas was beslagen, zoals het glas van de kastdeur als ik te lang met open mond naar de verboden boeken tuurde.

Voor hij losbarstte over de volgende gevaarlijke gelegenheid tot zonde ademde pater Ezechiël diep in: 'Meisjes, past ook op voor de bekoorlijke vormen van de film, de sfeer van geheimzinnigheid in die al te donkere zaal, het verderfelijke spel der acteurs, de onkuise handelingen op het scherm en algauw ook in de zaal. Wie zou immers de zucht tot nadoen kunnen bedwingen? Onfatsoenlijk plezier is het, laag genot dat elke kans op geluk vernietigt! Eén ogenblik van zwakheid, meisjes, en al uw jonge levens zijn geknakt, als bloemen in de stormwind!'

Ook vader preekte van op zijn gewone stoel over onfatsoenlijk plezier en de gevaren van te veel dromen. Als een droom ook een soort film was, zat ik dag en nacht in de cinema.

'En dan!' Pater Ezechiël sloeg op de rand van de preekstoel. 'En dan zijn er de gevaren van de dans, meisjes. Een brave wals op gepaste afstand kan nog wel, maar de vreemde en barbaarse dansen uit de holen en koten van Zuid-Amerika barsten van de gelegenheden tot zonde en leiden gegarandeerd tot ontucht. Een dans als de tango, dat is schuifelen en wringen en draaien, en verstrengelde ledematen, als in de verboden daad. Men kan dit geen dans meer noemen; dit is slechts perverse beweging.' Dat woord kende ik nog niet. Het klonk als het tegengestelde van vers en gezond.

Toen ze nog gezond was, vertelde zus 's avonds in bed soms over de dure dansschool waar ze van vader op zondagnamiddag naartoe mocht, omdat er alleen fatsoenlijke jongens kwamen. Aan één kant van de danszaal stonden de meisjes, aan de andere kant de jongens. De meisjes mochten niet te uitnodigend kijken, maar ze keken stiekem, vanachter hun sjaaltjes. Soms speelde zus dat ze een fatsoenlijke jongen was en dan mocht ik heel even haar zijn. De jongen boog en vroeg me ten dans. Maar hoe fatsoenlijk de jongen ook was, hij probeerde bij het dansen altijd dichterbij te komen. Dan pakte zus de meetlat van haar bureau en duwde die tussen haar buik en de mijne. Want zo ging het ook in het echt. Terwijl de fatsoenlijke meisjes en jongens ronddraaiden en op elkaars tenen trapten, draaiden de dansleraar en de danslerares ook hun rondjes. Zo gauw een meisje en een jongen te dicht tegen elkaar aan dansten, doken ze op. Een meetlat, zoveel ruimte moest er nog tussen de dansende buiken blijven. Dansleraars hadden ogen in hun rug en in elke zak een meetlat. Maar met nog geen duizend latten zouden ze tegen de perverse bewegingen van de tango opgewassen zijn.

Pater Ezechiël rondde af: 'Vermijdt tot slot lichtzinnige kledij en overdadige beschilderingen van het gezicht. Maakt toch van uzelve geen gelegenheid tot zonde. Meisjes, hebt medelijden met de jongens. Hun vlees is zo zwak.'

Zou dat waar zijn? Had zus met haar lippenstift van zichzelf één grote onweerstaanbare gelegenheid tot zonde gemaakt, waarvoor Jef was bezweken? Was het dan altijd de schuld van de meisjes als het tot de verboden daad kwam?

Alleen als je getrouwd was met een fatsoenlijke jongen die je ouders goedkeurden, was de verboden daad niet meer verboden. Dan paste de daad ineens wonderwel in Gods grote plan met de mensheid. Maar hoe goed dat plan ook was, hoeveel moeite de Schepper ook had gedaan om de mensen in zijn plan en ook nog in elkaar te laten passen, toch waren we allemaal benauwd voor de eerste keer, zelfs de meisjes die op een boerderij opgroeiden en de hele tijd beesten in elkaar zagen passen.

Volgens het liedje dat Bie en Karlien zongen, zouden we er niet dood van gaan. Als iemand daar ooit vijf strofen over had gemaakt, als zelfs de stalmeiden luidkeels over hun schrik zongen, dan zouden misschien wel alle meisjes bang zijn voor de eerste keer. Zouden er ook jongens bang zijn? Dat de verboden daad van pater Ezechiël in het liedje 'wip wip wiere wiere wip' heette vond ik wel grappig. Elke keer als we het zongen klonk de daad wat minder als een donderpreek en wat meer als een vrolijk dansje.

De eerste nacht van 't trouwen, wip wip wiere wiere wip,
De eerste nacht van 't trouwen, kroop hij met mij in bed.
Van de wip wip wip, van de wiere wiere wip, kroop hij met mij in bed.

Ik riep op mijne moeder, wip wip wiere wiere wip,
Ik riep op mijne moeder: en sterf ik daarvan niet?
Van de wip wip wip, van de wiere wiere wip, en sterf ik daarvan niet?

Schep moed mijn lieve dochter, wip wip wiere wiere wip,
Schep moed mijn lieve dochter, daarvan 'n sterf je niet.
Van de wip wip wip, van de wiere wiere wip, daarvan 'n sterf je niet.

En mocht je daarvan sterven, wip wip wiere wiere wip,
En mocht je daarvan sterven, 'k zal schrijven op je graf.
Van de wip wip wip, van de wiere wiere wip, 'k zal schrijven op je graf:

Hier ligt het eerste meisje, wip wip wiere wiere wip,
Hier ligt het eerste meisje dat daarvan gestorven is.
Van de wip wip wip, van de wiere wiere wip, dat daarvan gestorven is.

IN HET PARK VAN DE NACHTEGAAL

Zo gauw de auto met moederoverste, zuster Josepha, zuster Rigoberta en de tuinman de poort uit was gereden, stopte Bie me een envelop toe.

'Voor mij?'

'Voor hem. Breng mijn brief naar het duivenjong. Jij hebt al honderden brieven weggebracht. Jij weet hoe het moet. Als je betrapt wordt kun je weer doen of je van niks weet. Van mij geloven ze dat allang niet meer. Vraag of hij me terugschrijft. Er zit een leeg blaadje in de envelop. Maar als je het leest, vermoord ik je.'

Op de speelplaats hield alleen zuster Maria toezicht. Ze duwde een stokoude zuster in een rolstoel voort. Elke tien stappen bukte ze zich om iets in haar oor te fluisteren. Ze keek niet op of om. Vier goede redenen had ik om het te doen. De kust was veiliger dan ooit. Bie zou toch blijven aandringen tot ik het deed. Als ik betrapt werd, stuurden de nonnen me terug naar huis. En vooral: ik wou met de jongen praten, zonder de nonnen, zonder de andere meisjes en vooral zonder Bie erbij.

De anderen draaiden neuriënd om me heen.

In het park van de nachtegaal, van de nachtegaal,
in het park van de nachtegaal was 't bal.
Haren hoed stond scheef, hare rok zakte af
en haar bloeske was gescheurd.
Wat was er met die arme meid al in dat park gebeurd?

Was dat ook iets wat ik wou? Was dat de vijfde en de beste reden om te gaan? Ik pakte de envelop, glipte door de poort en sloop door de struiken naar het bruggetje bij het eiland.

De wind rook lekker in het park. Het was niet echt warm, maar toch trok ik mijn schort uit en knoopte hem om mijn middel. Ik stroopte de mouwen van mijn trui op. Ik maakte de bovenste knoop van mijn bloes open en trok het boordje wat losser. Ik mocht niet vergeten om het straks weer dicht te maken, of de nonnen zouden weer eens vragen waarvoor knopen dan wel dienden.

Het duivenjong had niet in de gaten dat ik achter de struiken naar hem stond te kijken. Ik kon ongelooflijk stil sluipen. Jef en zus wisten het ook nooit als ik dichterbij sloop. Zij hadden alleen oog en oor voor elkaar, en het duivenjong voor zijn duiven.

Alleen in mijn dromen was ik ooit zo dichtbij het bruggetje geweest. Nu zag ik dat de leuning van cementen namaaktakken was gemaakt. Was er hier wel iets echt? Twee witte duiven sprongen van de namaaktakken naar het dak van het hok. De grootste duif liep met hoge borst naar de kleinste toe. Die trippelde eerst weg, kwam dan terug, liep weer weg, kwam weer terug, haar kop omlaag, haar staart in de lucht. Eerst leek het op walsen, een, twee, drie... maar de duiven raakten de tel kwijt en hun dans leek nu eerder op de tango.

'Bij de tango word je één lijf,' fluisterde Mirjam terwijl ze met Karlien rondjes draaide in de bezemkast en onze tenen vertrapte. 'We doen dit om jullie te tonen hoe verderfelijk deze dans wel is. Dat heet aanschouwelijk onderwijs.'

Bie sloeg ze met de mattenklopper uit elkaar: 'De les is voorbij.'

Bij de duiven werd de dans met de minuut verderfelijker. Vroeger keek ik elke dag vanuit ons raam naar de duiven, maar wat ik nu zag had ik toch nooit eerder gezien. Of wel? De duiven draaiden sneller en dichter en wilder om elkaar heen. De grootste duif danste nu zelfs bovenop de kleinste. Als ze echt zou willen, zou de kleinste ervandoor kunnen gaan, maar dat deed ze niet.

Ik keek naar de rug van de jongen. Het kon niet anders of hij was ook naar de duiven aan het kijken, zijn schouders bewogen op hetzelfde ritme.

De dans stopte. De grootste duif vloog weg. Ik wachtte tot mijn knieën niet meer knikten om naar de jongen toe te lopen en hem de brief te geven, maar hij haalde zijn hand uit zijn broekzak en stak hem in de lucht, met de handpalm naar boven. De kleinste duif, nog een beetje suf van al dat dansen, sprong van het dak op zijn hand. Ik hoorde haar zachtjes koeren. Ik kon zijn handen niet echt goed zien, maar ik wist dat hij haar streelde.

Ik wou mijn schoenen en kousen uittrekken en op zijn voeten gaan staan. De jongen zou muisstil blijven, als een stenen beeld. Hij zou in mijn oor fluisteren hoezeer hij mij begeerde, met hart en ziel. Dan zou hij me vragen of ik hem ook begeerde. Als ik aarzelde, zou hij me meer tijd geven, omdat ik nog zo jong was. Maar ik zou zeggen wat de anderen over me zeiden: dat het ongelooflijk was hoe hard ik de laatste maanden gegroeid was, ook al kreeg ik hier alleen maar smerig eten.

Even schokten de schouders en ellebogen van de jongen, toen vielen ze stil. Ook de duif bewoog niet meer en maakte geen geluid. Misschien had hij de duif in slaap gewiegd. Als hij zich omdraaide, zou ik het weten. Wou ik het weten?

Ik probeerde de envelop glad te strijken. Hij plakte aan mijn vingers. Ik schraapte mijn keel. De jongen schrok. Ik zag zijn schouders en rug verstijven.

'Ik breng een brief.'

Hij draaide zich niet om. 'Voor mij?' Zijn stem klonk hoger dan ik verwachtte.

'Ja.'

'Van wie?'

'Van Bie.'

'Van wie?'

'Van Bie, dat grote meisje met de blonde vlechten.'

'Ken ik niet. Ik mag niet naar jullie kijken en niet met jullie praten.' Nog altijd keek ik tegen zijn rug aan.

'De zusters blijven uren weg, ze moeten verf uitzoeken voor Maria en Bernadetje.'

'Weet ik. Ik moet ze schilderen. Waarom brengt Bie de brief niet zelf?'

'Ze vroeg het aan mij. Wil je niet weten wat erin staat?'

Eindelijk draaide hij zich om. Zijn ogen waren nog donkerder dan ik dacht. Maar anders dan vaders ogen keken ze me niet streng en onderzoekend aan, maar nieuwsgierig en vriendelijk vragend. Mijn blik zakte naar zijn handen, die hij tegen zijn buik hield. De staart, de poten en de bek van de duif staken eruit.

'Ik kan de duif vasthouden terwijl je de brief leest.'

Hij schudde het hoofd.

Ik kon mijn ogen niet van zijn handen afhouden. Er was iets mis met die duif: de bek wees naar de wolken, de poten naar de grond.

'Laat eens zien.'

Hij deed zijn handen een beetje meer open. Tussen de kop en het lijf zat te veel plaats, er glinsterde rood op de verfrommelde nekveren en op zijn handen.

'Is ze gevallen?' Maar ik wist beter. Twee minuten geleden zat ze nog op zijn hand en koerde ze zo hard ze kon.

Zijn handen duwden de kop naar het lijf toe en trokken kop en lijf weer uit elkaar. 'Ik heb haar de nek omgedraaid.'

Ik zette een stap achteruit. 'Waarom? Ze kwam naar je toe en dan vermoord je haar?'

'Ik moet het doen.'

'Van wie?'

'Er zijn veel te veel duiven. Geen beest kweekt sneller. Hou ze maar eens tegen. Ze maken de vensterbanken, het wasgoed en de beelden vuil.'

'Dat doen ze toch niet met opzet?'

Hij haalde zijn schouders op. 'De zusters vinden ze lekker. Ze stoven ze, met druiven. Ik mag ze niet laten bloeden. Van het bloed maken ze saus.'

Ik legde mijn handen tegen mijn oren, maar wat hij vertelde kon ik niet buitensluiten.

'Ik moet er veertig doodmaken.' Hij gooide de duif in de kruiwagen naast het hok.

Ik wilde weg, maar mijn voeten stapten over het bruggetje en mijn ogen staarden naar wat in de kruiwagen lag. Wat was het ergste: de berg roerloze duiven met de geknakte nekjes of de stapel gebroken eitjes? Hoeveel duiven? Veel. Hoeveel eitjes? Nog meer. Er ging een schok door een van de duiven. Was ze echt helemaal dood? Wat als er nog een ei in zat dat eruit wou komen? Waar zou het nu onderweg vastzitten? Er trok een steek door mijn buik, van mijn navel naar mijn voorste gaatje.

'Hoe heet je?'

'Hoe kun je?' Mijn naam kreeg ik niet over mijn lippen.

'Je heet Emma. Ik hoorde ze naar je roepen.'

Ik balde mijn vuisten. Zou ik hem durven slaan?

'Als ik ze niet doodmaak, moet mijn vader het doen. En als hij begint, stopt hij niet. Eén keer deden de nonnen het. Je wilt niet horen hoe.'

Ik wou echt niets meer horen, maar zijn stem reisde door mijn handen heen mijn oren in.

'Ik doe het snel. Ik laat de jongste duiven leven. De nonnen willen de nestduiven. Die zijn malser. Ik pak de oudste, ik geef ze goed te eten en laat ze nog eens dansen. Dan draai ik ze rap de nek om. Elke keer denk ik: zal ik achter de grot een plantenstengel plukken? Zal ik wat van het sap van die berenklauw op de dode duiven druppelen? Dan zullen de nonnen ook eens dansen.'

Boven onze hoofden fladderden al andere duiven. Straks zouden ze op het dak landen en met hun kopje scheef elke beweging volgen die de jongen maakte. Zoals ik. Ze waren kansloos. Ze wilden zo graag bij hem zijn en zijn vingers voelen. Zoals ik. Hoe kwaad ik ook was, nog altijd wou ik een duif zijn en op zijn handen landen. Ook al was ik een hoofd kleiner, ook al kleefde er bloed aan zijn vingers, ook al riep vader dat jongens die hun handen niet thuis konden houden alles kapot maakten, toch wou ik niets liever dan dicht bij hem zijn, zo dicht als maar kon.

'Ik wil geen brief van Bie, maar van Emma.' Hij hield zijn hand voor me op. Er lagen maïskorrels en stukjes schelp op, tussen bloederig eigeel. 'Ook al zou ik 'm niet kunnen lezen.'

'Kun je niet lezen?'

'Een beetje maar. Veel geduld hadden de nonnen niet met ons in het weeshuis. Als ik te veel hakkelde, mocht ik de planten gieten, terwijl de anderen verder lazen. Toen ik twaalf werd moest ik Marcel helpen. Sindsdien heb ik geen letter meer gelezen. Maar om te kunnen lezen wat jij me schrijft, zou ik echt dag en nacht oefenen.'

Hoe kwaad ik ook was, ik begon al na te denken over een brief die hij toch zou kunnen lezen. Zou ik 'm in de grot verstoppen? Zou ik het duivenjong helpen om echt goed te leren lezen en schrijven, letter voor letter, mijn hand om zijn wijsvinger?

De jongen stapte de vijver in tot het water tegen de rand van zijn laarzen kwam. Hij stak zijn handen in het water en waste ze. Met druipende handen kwam hij weer aan land.

'Wil je de brief voorlezen?'

Ik wou het niet echt, maar mijn vingers deden wat ze altijd deden, ze ritsten de envelop stuk, visten de brief eruit en vouwden hem open. Mijn ogen vlogen over Bie's kleine priegelige lettertjes. Eén woord las ik van wat Bie had geschreven, het woord waarmee zus ook elke brief aan Jef begon: *liefste*. Maar na de komma zag ik geen letter meer van wat Bie had geschreven. Ik kon alleen nog de brede sierlijke krullen van zus zien. Ze schopten Bie's letters gewoon van het blad af en palmden Bie's gele briefpapier helemaal in.

Liefste,
onze vrees is waarheid geworden.
Wat nu? Hij vermoordt ons alledrie.

Honderd keer had ik die twaalf woorden uit de laatste brief van zus aan Jef gelezen. Tot ik ze niet alleen uit het hoofd kende, maar ze ook nog alle andere briefjes bedekten die ik daarna in handen kreeg. Ik wou dat ik niet kon lezen, dat het ook bij mij niet wou lukken, dat ik alleen idiote rondjes en strepen zag en zo hard hakkelde dat ik de planten water mocht geven. Doodsbang was ik voor wat zus had geschreven en nog banger voor wat ze niet had geschreven. Elke krul van zus vertelde me dat ik iets over het hoofd zag. Elk woord deed zeer en het laatste woord deed nog meer zeer dan de vorige.

Hoe graag wou ik geloven dat 'alledrie' sloeg op zus, Jef en mij, dat vader mij ook zou vermoorden omdat ik de briefjes had weggebracht. Maar nu ik de woorden van zus hier zo brutaal zag springen over het papier van Bie, het duivenjong zo dicht bij me dat ik zijn adem kon horen, kon ik er niet meer omheen: geen woord in zus haar brief ging over mij. Ik speelde echt niet mee in 'alledrie'.

Ik liep naar de rand van de vijver, scheurde Bie's brief in duizend gele stukjes en smeet ze allemaal in het water, maar het hielp niet. De woorden van zus lieten zich niet mee verscheuren, ze zogen het water niet op, ze weigerden mee te zinken met het briefje van Bie. De woorden van zus plakten aan mijn vingers en beten in mijn vel.

Ik ging ervandoor, zo rap als ik kon, dwars door de struiken heen. Hij riep mijn naam. Zacht en warm dansten de è en de a door het park. Ik rende nog harder. Het kon me niet schelen dat de takken aan mijn kleren rukten en dat mijn armen en benen onder de schrammen kwamen.

Bij de lindeboom stonden ze te wachten. 'En?'

Ik kon alleen maar hijgen.

'Heb je hem mijn brief gegeven?' Bie greep mijn arm. Hoe kon ik haar vertellen dat ik haar brief had verscheurd en in de vijver gegooid, maar dat het eigenlijk niet haar brief was, maar een brief die maanden geleden meer dan honderd kilometer hiervandaan was geschreven door een ander meisje aan een andere jongen?

Ik staarde naar zuster Maria die de oude zuster uit haar rolstoel hielp, op een bank zette, haar arm om haar heen sloeg en haar zachtjes wiegde. Zo warm was het bij haar, zo onmetelijk zacht. Zou het leven niet veel veiliger zijn als ik een gelofte van eeuwige kuisheid zou afleggen?

Misschien was dat wel een leven zonder vrees die waarheid werd, zonder doodsbedreigingen. Op dit moment leek het me ineens een heel stuk minder idioot om voor een hemelse bruidegom te kiezen.

Bie schudde mijn arm er bijna af. 'Wat zie je eruit! Wat is er gebeurd?'

Ik zweeg.

Bie stak haar hand uit: 'Hij heeft vast en zeker iets teruggeschreven. Daarom ben je zo lang weggebleven. Als je zijn brief hebt gelezen, vermoord ik je. Geef hier.'

Ik draaide me om en holde ervandoor.

Bie's woorden brandden in mijn nek. 'Je bent nog erger dan je zus!'

'Dienstbode, hou vast!' Bie duwde Silvana een spiegeltje in de handen. 'Stalknecht, meer licht!'

Ik probeerde het licht van de zaklamp in het spiegeltje te laten vallen.

Bie hield haar hand open. 'Dienstmaagden, geschenken!' Karlien legde een oorbel in Bie's hand, Berta een lippenstift, Mirjam een armbandje. Ik had niets om gezicht en lichaam nodeloos te versieren, alleen een kleurpotlood, en ik was zo dom om dat aan Bie te geven.

Bie tuitte haar lippen en veegde er wat donkerrode lippenstift op. Ze likte aan de punt van mijn potlood en tekende blauwe randen om haar ogen.

Spiegeltje aan de wand,
wie is de schoonste van het land?

De goorste liedjes zong Bie en tegelijk bleef ze de kinderachtigste spelletjes spelen, zolang zij maar koningin mocht zijn.

'U bent de mooiste, koningin,' mompelde Silvana vanachter de spiegel, 'maar...'

'Niks maar! Stalknecht, kus me!'

'Nee.' De tijd was voorbij dat ik zonder protest prins wou zijn, of jager, visser of stalknecht, dat ik me in een muf gordijn liet wikkelen dat zo strak werd aangetrokken dat ik bijna stikte, dat ik op commando valse koninginnen kuste.

‘Ik ben geen stalknecht, ik ben een meisje.’

‘Weet je ’t zeker?’

‘Zo zeker als jij ’t weet.’

‘Spiegeltje in mijn linkerhand, wat zit er aan de onderkant?’

Ik sloeg het spiegeltje uit Bie’s hand.

‘Ik heb nog iets van je te goed. Ik wil een kus. En geen kus in ere die niemand kan deren. Ik wil een echte kus.’

Dat wilde ik niet. Niet zozeer omdat ik niet kon bedenken hoe ik dat moest doen zonder te stikken. Ook niet omdat Berta zei dat vuile kussen minstens zo erg waren als de verboden daad: ‘Eén omdat ze erop lijken en twee omdat van het een het ander komt.’ Maar wel omdat ik weg wou van mijn onbetrouwbare engelbewaarder met haar vuile mond en haar scherpe nagels. Niet gewoon weg, maar mijlen en eeuwen ver weg bij haar vandaan, over de bergen, voorbij de oceaan.

‘Ze doen het zelfs in de Bijbel.’ Bie declameerde: ‘Mijn geliefde kuste mij met de kussen van zijn mond en rustte tussen mijn borsten.’ Ze probeerde me naar zich toe te trekken, maar ik zette me schrap en gaf geen duimbreed toe.

‘Geen sprookje zonder kus. Wie van ons wil je dan kussen?’

‘Niemand.’

‘Dacht ik het niet. Hem wil je natuurlijk wel kussen. Vuile dief!’ Bie kneep met haar duim en wijsvinger heel hard in mijn arm. Ze trok aan mijn vel, of ze het los wou scheuren. ‘Je kunt de engel krijgen, maar het duivenjong mag je niet afpakken.’

Had ik hem afgepakt? In mijn dromen zeer zeker wel. Elke nacht sloop ik over het bruggetje. Met het geruis kwam de geur van duif en de streling van donsveren. Van pater Ezechiël moesten we ons wapenen tegen al te vurige dromen. ‘Ligt in fatsoenlijke houding zo stil mogelijk te bed, de handen te allen tijde boven de dekens. Houdt de geest bezig met schietgebeden, bevecht vurige dromen en zinnelijke beelden met vrome gedachten. Rampzalig zijn immers de gevolgen van zelfbevlekking: de ruggengraat trekt krom, de hersenen drogen uit, zwerende puisten bedekken het lichaam. Algehele en vroegtijdige verwelking slaat toe. Daarom, meisjes, wapent u!'

Ik had sinds kort puistjes bij mijn neusvleugels en mijn mondhoeken, zelfs op mijn linkerbil kon ik een grote voelen. Maar niets kon me beter warmen in mijn kille bed dan al te vurige dromen. En als pater Ezechiël echt gelijk had, dan zou Bie er intussen verwelkter dan de planten in de refter moeten uitzien, en niemand had blozender wangen dan Bie.

Had ik het duivenjong ook in het echt afgepakt? Telkens als we door het park liepen, streelden zijn ogen mijn nek. Als ik vanachter mijn zakdoek teruggluurde, kon ik zijn vingers voelen, terwijl hij zijn duiven voerde. Hij stopte de maïs in mijn mond, niet in hun bek. Ik zou een briefje kunnen verstoppen in de spleet in de grot, naast de krukken. Als ik de woorden zou tekenen, zou hij ze niet alleen begrijpen, maar zou hij misschien ook wel voelen wat ik had gevoeld bij het tekenen.

Bie pakte de mattenklopper en sloeg ermee op mijn hoofd. 'Lelijk foorwijf! Je bent op dit moment van hem aan het dromen en je hebt zijn brief aan mij gestolen.'

'Hij heeft geen brief meegegeven.' Ik pakte de mattenklopper af en sloeg terug.

'En wat is dit dan? Je had zijn brief goed verstopt, maar ik heb gezocht tot ik hem vond.' Bie viste Marie-Louise uit de zak van haar nachtkleed.

Had ze mijn kamer weer eens doorzocht? Deze keer had ik Marie-Louise echt goed verstopt, op een splinternieuwe plek. Wat had ze verder nog gevonden?

'Daarom sleept Emma dat vuile vod overal mee naartoe, daarom jankt ze als een baby als we het afpakken.'

Bie rukte Marie-Louise zomaar de kleertjes van het lijf,

haar rok, haar truitje, haar onderbroek. Uit het grijze wollen broekje peuterde ze een klein briefje. Ik wist niet wat ik zag. Wie had dat daar gestopt?

Bie vouwde het briefje open en las voor: '*lieveling, ik laat je niet in de steek, ik weet wat ik moet weten, ik doe wat ik moet doen, loop vannacht weg, kom naar onze plek, wat van ons is moet bij ons blijven.*'

Bie zwaaide het briefje triomfantelijk heen en weer en liet het aan iedereen zien. 'Ik schreef aan het duivenjong dat ik hier weg wou. En hij zegt hier dat hij met me wil weglopen. Toen ze dat las, werd Emma zo jaloers, dat ze het briefje voor zichzelf hield en het in haar voddenpop verstopte.'

'Wat kan hij schoon schrijven,' fluisterde Berta.

Mirjam keek Bie jaloers aan. 'Hij houdt echt van degene aan wie hij dat schrijft.'

'Zo'n brief wil ik ook krijgen,' zuchtte Silvana.

Ik griste het briefje uit Bie's hand. Er kwam een scheur in. 'Dit is niet voor Bie bedoeld.'

Bie snoof. 'O nee, voor wie dan wel? Niemand schrijft zoiets aan een snotneus.'

'Het duivenjong kan nauwelijks schrijven en als hij het zou kunnen, dan schreef hij aan mij.'

Bie sloeg haar klauwen in mijn andere arm. 'Dus je hebt met hem gepraat?'

'Hou op, Bie.' Karlien keek bezorgd. 'Emma, wie heeft dat geschreven? En aan wie?'

Iedereen keek naar mij. Ik had ferme klappen gekregen en mijn armen zaten onder de blauwe plekken en de rode krassen, maar ik stond nog altijd rechtop.

Mijn stem trilde nauwelijks. 'Dat briefje is al maanden oud. Het is Jefs handschrift, schuin, zonder rondjes op de i, zonder hoofdletters, zonder namen te noemen. Ik wist niet dat het daar verstopt zat. Ik trek nooit de kleren van Marie-Louise uit. Het is het laatste briefje dat ik van Jef naar zus bracht. Dat weet ik, omdat ik het heb gelezen. Ik kon het niet laten.'

Karlien fronste haar wenkbrauwen. 'Wie zo'n brief krijgt, heeft een pakske.'

'Toen zus het had gelezen pakte ze haar kleren in en schoof het pak onder ons bed.'

Berta floot. 'Is ze weggelopen?'

'Nee.' Ik kneep in mijn eigen hand, terwijl ik het zei, zo kwaad was ik nog altijd op mezelf. 'Aan tafel praatte ik mijn mond voorbij. Ik was zo stom om zus te vragen hoe lang ze weg zou blijven. Moeder stoof naar boven en vond het pak kleren onder ons bed. Vader sloot zus op in onze kamer. Ik moest in de logeerkamer slapen en mocht niet meer met haar praten. Drie dagen later werd mijn koffer gepakt.'

Mijn koffer lag op onze commode terwijl moeder mijn kleren erin smeet. Even ging ze naar beneden om de lijst te zoeken met dingen die niet mee mochten. Vader was naar kantoor.

Het kon niet anders of zus was vlug uit bed gekomen om dat briefje in de kleren van Marie-Louise te moffelen en haar in mijn dikste sokken in mijn koffer te verstoppen. Het kon maar één ding betekenen: ze wou dat ik het vond en las en snapte.

Ik keek Karlien aan. Haar ogen vertelden me wat ik intussen wist. Hoe graag ik ook wou dat het pakske waarover Karlien het had een pak kleren was, ik wist beter. Het ging niet om een pakske kleren, maar om een pakske kind, zoals in het liedje.

Ze heeft een pakske, uit een zakske,
maar welk zakske, dat weet ze niet.
En heeft ze meubelen, en heeft ze huisgerief,
dan mag ze trouwen met haar lief, haar hartendief.

Als dat waar was, dan had vader gelogen, niet één keer, maar keer op keer. Als dat waar was, dan had ook moeder gelogen door niets te zeggen. Had ze dat uit vrije wil gedaan of omdat ze niet anders kon? Schaamden ze zich zo erg dat ze geen woord konden uitbrengen? Vonden ze me te klein voor de waarheid? Hoe konden ze zien dat ik zo hard gegroeid was als ik nooit naar huis mocht?

Wanneer zouden ze me de waarheid vertellen? Op de dag dat ik zou zeggen wat ik wist? Op de dag dat zus zou trouwen met haar lief, haar hartendief? Zus wou niets liever dan trouwen met haar Jef, maar zelfs al zouden ze meubelen en huisgerief hebben, dan nog zou vader zus nooit met Jef laten trouwen.

'Mijn dochter trouwen met een tuinman? Over mijn lijk!' riep vader. 'Ik vermoord jullie nog liever, en al wat van hem komt erbij!'

Ik kreeg kippenvel over mijn hele lijf. Dat kon vader toch niet menen! Dat zou Jef toch nooit laten gebeuren? Groot en breed en beresterk was Jef. Met één slag kliefde hij de dikste boomstam. Hij had een riek, een bijl, een snoeischaar, een hamer, een zeis. Vergeleken bij Jef was vader een klein kantoormannetje met alleen maar een blocnote en een pen. Als het Jef niet was gelukt om te doen wat hij wou doen, zou ik dan ook maar een schijn van kans hebben om iets te zeggen, iets te doen?

Elk haartje dat pijnlijk recht omhoog priemde zei me dat ik iets moest proberen. Nu ik wist wat ik moest weten, moest ik doen wat ik kon doen.

Maar wat kon ik doen?

Wat?

IEDERE JONGEN MOET HET WETEN

'Emma, waar blijf je?'

'Ik kom.' Ik probeerde de vier velletjes wc-papier die ik van zuster Rigoberta had gekregen tot een lang, smal pakje te vouwen.

'Heb je niet genoeg papier?' Bie schoof drie velletjes onder de deur.

Ik had allang geleerd om vaker dan nodig papier voor een grote boodschap te vragen en de overschotjes te sparen. Maar voor wat er nu gebeurde, had ik echt niet genoeg. Ik propte het pakje papier in mijn onderbroek en hoopte dat het zou blijven zitten.

'Mirjam heeft nog.'

'Ik heb genoeg.' Ik durfde niet nog meer papier in mijn onderbroek te stoppen. Stel dat het eruit viel of dat iedereen die prop zag zitten. Ik inspecteerde mijn plooirok. Aan de binnenkant zat een vlek, maar op de buitenkant zag je niets. Voor een keer had een rok van dikke donkerbruine stof met honderd plooien ook een voordeel.

Ik trok mijn onderbroek op. Dit zat echt niet goed. Ik draaide me om en staarde naar de vlekken in de wc-pot. Dit bloed leek donkerder dan dat van een bloedneus en het rook anders dan het bloed dat uit mijn vinger kwam als ik me prikte bij de kruisjessteek.

Bloedde ik vanbinnen of vanbuiten? Ik durfde niet te voelen of er aan de buitenkant een wondje zat. Waar kwam dat bloed vandaan? Het kon niet dat ik op een naald of een speld was gaan zitten. Dan zou ik de prik duidelijk gevoeld hebben. Bie's spiegeltje zat nog in de zak van mijn schort. Twee keer had ik het eruit gehaald om eens naar de evenaar te kijken, maar ik had het toch maar niet gedaan. Ooit zou ik het misschien durven, maar niet nu. Ik wou geen vreselijke wonde te zien krijgen op een plek waar niemand gewond wou zijn.

Ik beet op mijn hand. Wat als het taaie vlees met de spijkerharde randen dat ik gisteren had moeten opeten er nu uit wou en onderweg alles kapot scheurde? Of had het bloed eerder iets te maken met het duivenjong, dacht ik te veel en te lang aan hem? Stel dat het een straf was voor onreine gedachten, dat alles wat volgens de Larousse in mijn buik zat, nu vloeibaar werd en uit mijn buik stroomde, dat ik langzaam maar zeker doodbloedde als een maagd en martelares. Het voelde in elk geval of er gloeiende kolen, kokende olie, gemalen glas en smerige tangen aan het werk waren achter mijn navel, of twintig Hunnen hun zwaarden in mijn buik dreven en nu mijn binnenkant probeerden leeg te schrapen.

Zou het bloeden ineens stoppen, zoals het ook ineens gekomen was? Ik keek nog eens in mijn broekje. Er was nog meer bloed gekomen. Er lagen nu ook kleine stukjes vel bij. Misschien was ik aan het vervellen, als een slang, maar dan vanbinnen. Slangen gingen niet dood van al dat vervellen, maar ze bloedden er ook niet bij. Alleen een flinterdun laagje buitenkant kwam eraf, dun droog vel, heel proper en hun binnenkant bleef mooi heel. Na elke vervelbeurt hadden ze een nieuwe huid en waren ze een beetje gegroeid, dat wist de Larousse te vertellen. Groeide ik ook vanbinnen? Wat als mijn binnenkant sneller groeide dan mijn buitenkant en mijn hele lijf in de knoop raakte? Het kon niet zijn dat mijn binnenkant nog heel was, met al dat bloed.

Als ik bezweek aan een pijnlijke bloedige ziekte zouden

mijn ouders, mijn zus, alle nonnen en meisjes zich de ogen uit het hoofd janken. Verbijsterd zouden ze naar mijn witte kist staren waar nog altijd bloed uit lekte, met velletjes erin. 'Een nieuwe maagd en martelares is in ons midden,' zou pater Ezechiël roepen. 'Er zal een beeld gemaakt worden naar haar gelijkenis, alsook een schilderij.' Er bestond ergens een beeldje van een madonna dat rode tranen huilde, had zuster Agatha verteld. Zou mijn beeldje ook rode tranen huilen, maar dan van onderen?

'Emma, heb je verband nodig?'

Ik schrok. 'Hoe weet je dat?'

'Het is niet zo erg.'

Bie wist niet wat ze zei. Ze was nog stommer dan het achterste van een varken. Niet zo erg! Ik verging van de pijn. En er was weer bloed bij gekomen op het papier. Nooit zou die prop al dat bloed kunnen tegenhouden. Als ik nu rond zou lopen zou ik een spoor nalaten. Iedereen zou kijken en wijzen.

'Heeft je moeder je geen pak meegegeven?'

Het kon toch niet dat Bie en Mirjam dat wisten! Voor ze mijn koffer sloot, gooide moeder er een pak in. 'Voor je weet wel.'

Toen ik haar vragend aankeek: 'Voor je weet wat?', zei ze natuurlijk weer eens: 'Dat leer je nog op school.'

Ik wou niet wachten tot de tijd rijp zou zijn en maakte het pak de eerste avond al open. Geen koekjes, geen briefpapier, geen fijne verrassing, maar lange lapjes katoen met knoopsgaten aan de uiteinden en een vleeskleurige elastieken riem met twee knopen eraan. Ik kon er geen touw aan vastknopen en legde het pak onderin de commode tot ik erover zou leren.

Ik hoorde Mirjam fluisteren. 'Wedden dat ze van niets weet?'

Dus zij wisten ervan.

'Heb je verband bij je? Je mag overdag niet naar de slaapzaal. Je moet zorgen dat je er een paar in de zak van je schort stopt, met een zakje erbij om de vuile in te doen.'

In mijn hoofd tolden de lange smalle lapjes katoen met knoopsgaten rond, ze duikelden mijn onderbroek in en kwamen onder de rode vlekken te zitten. Nu nog die riem met de knopen... Natuurlijk, knopen hoorden in knoopsgaten, dat vertelden de nonnen elke dag. En de riem? Waar hoorde die? Niet om mijn hoofd, niet om mijn enkels, niet onder mijn oksels. Om mijn heupen?

'De vuile verbanden moet je 's avonds naar de zolder brengen en in de mand gooien waar je naam op staat.'

Dus op de zolder stond een mand met mijn naam erop. Waarom had niemand me dat van tevoren verteld? Misschien had ik het kunnen raden omdat die zolder de bloedzolder genoemd werd, omdat ik er al eens eerder meisjes naartoe had zien gaan, nu ik eraan dacht inderdaad meestal met een bolle schortzak.

Mirjam schoof een verband onder de deur. 'Je mag er een lenen, als ik er vanavond een terugkrijg.'

Ik pakte het verband. Het was minder nieuw dan dat in mijn pak. Het voelde stug, als een oude handdoek die honderd keer gewassen was. Maar het paste in mijn onderbroek en het bleef beter zitten dan een prop papier.

'We moeten ervandoor. Daar is zuster Rigoberta.'

'Wat doen jullie hier? Toch geen vuile manieren? Hebben jullie de bel niet gehoord? En waar is Emma?' Zuster Rigoberta klopte hard op de deur. 'Emma, eruit!'

'Ze is ziek.'

'Alweer!'

'Buikloop.'

'Het lijkt wel een epidemie.'

'We wilden haar naar zuster Maria brengen.'

Zuster Rigoberta snoof. 'Zuster Maria heeft wel wat anders aan haar hoofd dan meisjes met flauwe kuren.'

Ik deed de deur open en schuifelde naar buiten. Het verband schuurde tussen mijn benen.

'Zuster, ze ziet wit van de pijn en ze kan nauwelijks lopen. Straks valt ze flauw in de klas.'

Zuster Rigoberta zuchtte. 'Breng haar naar de ziekenzaal, Bie. Maar direct terugkomen.'

Op de trap sloeg Bie haar arm om me heen. 'Arme Emma, haar buik staat in brand.'

Ik maakte haar arm los en duwde haar weg.

'Heeft je moeder je iets verteld?'

'Heeft zij het ook?'

'Alle vrouwen hebben het.'

'Jongens niet?'

'Nee.'

'En nonnen?'

Bie twijfelde. 'Zou tante Roos ook bij hen op bezoek komen?'

'Tante Roos?'

'Die woont in Marokko. Als ze komt, hangen we de vlag uit. Je hebt dat liedje honderd keer meegezongen. Het helpt als je erom lacht.'

'Ik vind er niets grappigs aan. Ik dacht dat ik leeg zou bloeden. Ik wist niet wat ik moest doen.' Ik stampte tegen de plinten. Ik was woest op iedereen die het wist en me niks verteld had.

Woest op moeder, met haar gezeur over de tijd die rijp moest worden. Woest op zus, met wie ik al mijn hele leven in één groot bed sliep. Ik had moeder wel vaker tegen zus horen zeggen dat ze me dit of dat niet mocht vertellen, maar zus had het ook stiekem kunnen doen. Ze was voor de rest zo goed in stiekem doen. En we hadden beloofd om elkaar te helpen. Dat was toch wat zussen deden? Al die brieven die ik had weggebracht in de hoop dat ze me over het echte leven zou vertellen... Niets had ze me verteld, niets! Als die stomme trien me had uitgelegd waarom ze haar kleren had ingepakt, had ik ook niets kunnen verklappen. Ik was woest op de nonnen, die manden op de zolder zetten met onze naam erop, maar verder hun grote mond hielden. En ik was woest op... Mijn voet schoot van de plint naar de kuit van Bie.

'Au! Stank voor dank.'

'Jij wist ervan!'

Bie knikte.

'En de anderen?'

'Ook. Alleen Julia wil er niets over horen. Als ze denkt dat ze het daardoor niet zal krijgen...'

'Waarom hebben jullie me niets verteld?'

Bie haalde haar schouders op. 'Je hebt ons toch horen zeggen dat die of die haar vodden had, dat zuster Miserie bij iemand op bezoek was, dat er rood alarm was, dat de vlag uit hing? Je was er toch bij toen Mirjam haar lakens wegdroeg, toen Karlien haar bank moest afwassen? Zelfs de Larousse vertelt erover, als je het juiste woord weet te vinden.'

Klein en dom voelde ik me en ook nog doof en blind. Ik had het kunnen weten als ik uit mijn doppen had gekeken, als ik mijn oren had gespitst, als ik de juiste vragen had gesteld. Zag je dan alleen wat je wou zien, en hoorde je alleen wat je wou horen? Kwam je alleen maar te weten wat je wou weten of wat je vanbinnen al wist? Misschien was weten niet zozeer iets van de ogen en de oren maar meer iets van de binnenkant. Misschien gingen je ogen en oren pas echt open als er diep in je lijf een startschot klonk.

Eén ding wist ik zeker: morgen, nee straks zou ik het aan alle meisjes op school vertellen, hoe klein en plat ze ook waren. Als ze het niet wilden horen, dan toeterde ik het toch in hun oren. Als ze me verbaasd zouden aanstaren omdat ze er geen lap van snapten, dan legde ik ze alles nog eens uit, deze keer in geuren en kleuren, zo duidelijk dat ik er zelf van moest blozen. Als ze van me wegliepen, dan bleef ik ze bestoken met brieven, met papieren vliegtuigjes waarop alles, maar dan ook alles stond. Alles? Ik wist nu meer, maar wist ik alles?

'Ik ken een elfde gebod.'

Bie keek me vragend aan. 'Een elfde?'

'Vertel de meisjes wat ze moeten weten.'

Bie knikte. 'En de jongens.'

'De jongens?'

Iedere jongen moet het weten,
dat een meisje een roos bezit,
die vanbinnen is gespleten,
rondom rond met pels bezet.
Alle maanden moet ze bloeien.
Bloeit ze niet, dan is ze ziek.
Komt een jongen ze te besproeien,
bloeit ze negen maanden niet.

'Gaat het al wat beter?' Zuster Maria legde een warmwaterkruik op mijn buik. 'Je hebt geluk dat je hier weer alleen ligt. Eergisteren was het hier nog overvol. Veertien zusters hadden plots allemaal tegelijk buikloop. Ze dachten dat de druifjes bij de duifjes overrijp waren.'

Ik legde mijn handen op de kruik op mijn buik. Het was lekker warm onder de dekens. Er zaten twee verbanden in de nieuwe onderbroek die ik van zuster Maria had gekregen. Het plastic rond de onderbroek kraakte. Echt lekker zat dat plastic niet, maar het was wel een hele geruststelling dat er niets uit kon lekken.

Ik voelde me minder vies nu ik me van top tot teen had gewassen. Dat was nog het fijnst, dat ik niet hoefde te wachten tot we op zaterdag met z'n allen naar de tochtige badkelder moesten. Geen vierentwintig badkuipen op een rij met dunne gordijnen ertussen, geen zuster Wisigonda heen en weer ijsberend over het gangpad, mopperend: 'Vlug, meisjes, badkleed aan, kleren uit, inzepen, in bad, spoelen, klaar, uit bad, afdrogen, kleren aan, badkleed uit!'

Ik had de kleine badkamer van de ziekenzaal helemaal voor mij alleen. Zuster Maria liet het bad tot over de helft vollopen. Ze voelde met haar hand of het warm genoeg was. Ze goot wat olie in het water. Ik kon mijn ogen niet geloven. Zoveel warm water voor mij alleen, vers water waar niet eerst nog iemand anders in gezeten had. Geen grijze zeepresten tegen de rand die toch altijd in het water belandden, ook al deed je nog zo voorzichtig.

Bie beweerde dat de nonnen op zaterdagochtend altijd voor ons in bad gingen, met kap en kleed en al. 'Daarom is ons water lauw en niet warm. Daarom drijven er meer vetoogjes op ons badwater dan op onze soep. Als ze met tweeën in één kuip plonzen raken ze er niet meer uit. Nooit met twee, dan doet de duivel mee, dat maakt dus drie in één kuip. Daarom hangen er katrollen met dikke touwen aan het plafond. Nog met geen tien schoenlepels kun je ze loswrikken.' Bie liet haar middenvinger in haar mond tegen haar wang ploppen en zong een van haar kleuterliedjes waar ik allang niet meer om kon lachen.

Alle nonnen zwemmen in het water,
falderalderiere, falderalderater.
En het liefst nog met een blote pater,
falderalderiere, falderalderater.

Zuster Maria legde geen badkleed klaar. 'Trek alles uit,' zei ze. 'En was je goed.'

'Overal?'

'Wat je niet wast blijft vuil.'

'Zuster Wisigonda zegt...'

'Ze zegt: rein als lelies, geen smetje, geen vlekje... Geloof de mensen niet die zeggen dat je niet in bad mag als je je regels hebt. Je moet jezelf juist heel goed verzorgen dan.'

'Waarom heet het regels?'

'Omdat het iets is dat regelmatig terugkomt. Misschien nu nog niet, maar binnenkort wel, elke maand.'

'Toch niet mijn hele leven lang?'

'Tot je grootmoeder bent.'

'Hoeveel keer?'

'In je hele leven? Ik schat: vijfhonderd keer. Was je nu maar,

Emma. Neem je tijd. Ik zal je kleren uitspoelen. Was ook je haren. Wat ze ook vertellen, je haren vallen echt niet uit als je ze wast als je je regels hebt. En ze krijgen ook niet alle kleuren van de regenboog.'

Vijfhonderd keer, ik moest er niet aan denken. Het was ook zo vreselijk onhandig. Als we dan zo dikwijls moesten bloeden, waarom konden we dan niet gewoon uit ons oor bloeden, of uit onze elleboog? Dan konden we in de klas zeggen: even een nieuwe pleister erop, hop!

Het warme water streelde mijn buik. Zuster Maria had gelijk, warm water verzachtte de krampen. Zou ik elke maand hiernaartoe mogen? Nee, dat deden de anderen ook niet. Dan lagen hier de hele tijd meisjes met regels die verwend wilden worden door zuster Maria.

Zuster Maria haalde grote handdoeken van de radiator en legde ze op de stoel naast het bad. Als we 's zaterdags met ons badkleed uit bad kwamen, moesten we daar van zuster Wisigonda eerst ons ondergoed onder aantrekken voor we de schouderbandjes van het badkleed mochten losmaken zodat het naar beneden viel. Ook al deed ik nog zo mijn best om me goed af te drogen, door dat onhandige gedoe met dat stomme badkleed was ik binnen de kortste keren weer helemaal nat en verkleumd. Nu kon ik mezelf droogwrijven tot ik gloeide en daarna vers, droog ondergoed aantrekken dat ook lekker droog bleef. Nooit zou ik nog zo stom zijn om met een badkleed aan in bad te gaan.

'Drink dit maar op. Kamillethee met een lepel honing erin en een aspirientje erbij, dat helpt. Warme melk met amandelen is ook goed. En als je erg bloedt, kun je madeliefjes eten of sintjanskruid. Dat groeide waar Maria's bloed op de grond viel.'

'Had zij het ook?' Ik kon me echt niet voorstellen dat Maria, schoon en rein, ook elke maand zou bloeden.

'Als ze het niet had gehad, had ze geen kind kunnen krijgen.'

Het was best ingewikkeld, want terwijl ze een kind verwachtte, bloedde een vrouw juist niet. Maar hoeveel stomme vragen ik ook stelde, zuster Maria lachte me niet uit.

'Had de eerste vrouw van de wereld al regels?'

'Het is zo oud als de wereld.'

'Was het de straf voor de eerste zonde?'

'Als het betekent dat je een kind kunt krijgen als de tijd rijp is, is het een zegen, geen straf.'

Wat mij betreft mochten ze die zegen over iemand anders uitstrooien. En het viel me lelijk tegen dat zuster Maria nu ook al aan kwam zetten met de tijd die rijp moest zijn.

'Je zou het als een oefening kunnen zien.'

'Een oefening?'

'Als je later een kind krijgt, kun je de krampen en het bloed beter verdragen.'

Zelfs vrouwen die geen kind kregen, moesten dus ook een keer of vijfhonderd oefenen. Eerlijk was anders. Hoe ik het ook draaide of keerde, ik kon er niet omheen: vanaf nu kon ik ook een kind krijgen. Als mijn eieren goed genoeg zouden zijn, als mijn buik groot en warm genoeg zou zijn, als mijn doorgang breed genoeg zou zijn om het kind erdoor te laten, als er in mijn borsten genoeg melk zou zitten. Op dit moment waren ze zo gegroeid dat er wel een eierdopje melk in elke borst zou passen.

Zou ik een goede moeder zijn? Zou ik het kind zo graag zien dat ik er mijn leven voor zou geven? Zou ik van het kind blijven houden, ook al beging het de ene stommiteit na de andere, ook al sloeg het alle goede raad in de wind?

Zoals de Duitse moeder over wie eergisteren de hele avond verteld werd op de radio. Duizend keer had zij haar kind gezegd dat hij niet bij het boorgat mocht spelen, en toch was hij erin getuimeld. Vier meter onder de grond zat hij klem. Driehonderd mannen werkten de hele avond en nacht om hem vrij te krijgen. En al die tijd lag zijn moeder geknield bij het gat in de grond. Geen hap had ze gegeten, geen slok gedronken. De radiojournalist vertelde met bevende stem dat nog geen driehonderd sterke mannen haar bij dat gat weg konden halen. Ze zong, ze fluisterde, ze vertelde, ze smeekte... in haar mooiste Duits. Vader beweerde dat Duits de meest oorlogszuchtige taal ter wereld was, maar ik wist wel zeker dat het Duits bij dat boorgat prachtig klonk, mooier dan het allermooiste gedicht van de hele wereld. Van sommige dingen wist vader echt minder dan niets. Hoe had ik ooit kunnen geloven dat hij de slimste mens van de wereld was?

Voor één keer mochten we langer opblijven om in de grote refter naar de radio te luisteren. Vijf zakdoeken had zuster Josepha uit haar linkermouw gevist, vier natte in haar rechtermouw gemoffeld. Ze vergat de tijd. Het was al bijna middernacht toen we naar bed moesten. Nog altijd zat het kind muurvast. Die nacht droomde iedereen van de bevrijding van het kind. In Julia's droom vloog het uit de put naar boven, als een engeltje. Bie zag de Heilige Petrus afdalen en het kind er bij zijn haren uittrekken, met niet al te tedere aanrakingen. In mijn droom zat zus bij de put te zingen, te fluisteren, te smeken... Wel honderd mensen stonden te kijken, maar niemand stak een vinger uit om haar te helpen en ik kon geen woord uitbrengen en geen vin verroeren.

's Ochtends kon zuster Josepha niet wachten om ons het grote nieuws te vertellen: 'Het kind is bevrijd!' Ze had het bevrijdingsmoment zelfs opgenomen met haar gigantische bandopnemer. Keer op keer liet ze het ons horen. Keer op keer spoelde ze de band weer terug en draaide ze de volumeknop op de hoogste stand. Keer op keer applaudisseerden we mee met de mensen bij de put. We konden de omhelzing van moeder en kind horen, dwars door dat Duitse applaus heen, dwars door het onze heen. Met fladderende handen en blozende wangen rende zuster Josepha de hele ochtend door de klas. Ze raakte onze hoofden één voor één aan, zacht, als een engelbewaarder, en ze glimlachte, of ze moeder en kind zag dansen.

Zou ik zoals die Duitse moeder zijn? En zus? Zouden we vanzelf weten hoe het moest? Was het iets wat een meisje kon leren, kende ze het al bij haar geboorte of kwam ze het patsboem te weten zo gauw ze zelf een kind kreeg? Kon een vrouw het verleren als ze lange tijd niet oefende? En kon een meisje dat van niets wist het alleen redden, ook als niemand hielp?

'Zuster Maria?'

'Emma.'

'Wat als een meisje een kind verwacht nog voor de tijd rijp is?'

'Soms wordt er dan héél snel getrouwd.'

'Maar als het kind er is en de mensen tellen de maanden, dan weten ze toch dat het niet klopt?'

'Dan wordt er soms verteld dat het kind veel te vroeg geboren is.'

'Dan liegen ze.'

'Er zijn grotere zonden in de wereld.'

'En als er niet wordt getrouwd, omdat de ouders de jongen niet goed genoeg vinden?'

'Soms houden de ouders het meisjes de hele tijd binnen, in huis, in haar kamer, zodat niemand kan zien dat er een kind groeit in haar buik. Ze vertellen niemand dat ze zwanger is. Zo bang zijn ze dat de mensen schande zouden spreken.'

'Maar als het kind er is, dan ziet iedereen het toch? Dan moeten ze toch alles vertellen? Of is het dan minder erg, omdat iedereen die het kindje ziet het toch zo lief vindt en al de rest vergeet?' Met hart en ziel wou ik dat zuster Maria nog harder zou knikken dan het ijzeren mannetje dat zijn donkere krullenkop er bijna af knikte, telkens als we een cent in zijn buik stopten voor de arme kindjes uit het donkere continent.

Maar zuster Maria knikte niet. Ze staarde uit het raam naar

de tuin van het weeshuis naast het klooster, waar ze jarenlang had gewerkt. 'Soms wordt het kind weggebracht.'

'Weggebracht?'

'Naar mensen die geen kind hebben, maar er graag een willen.'

Het klonk als iets dat goed bedacht was. Tenzij...

'Wat als het meisje haar kind toch liever wou houden?'

'Soms mag ze niet kiezen.'

'Maar het is haar kind!'

Ik kreeg het ijskoud. Ik geloofde niet in grote en kleine zonden, in gewone zonden en doodzonden, maar als dit geen grote zonde was, als dit geen doodzonde was, als dit niet de allergrootste doodzonde was, in de hemel, op de aarde en op alle plaatsen, dan wist ik nog minder dan niets. Eén keer had ik het kindje van tante Beatrijs vastgehouden. Hoewel ik het niet handig vasthield, lachte het naar mij en de hele tijd keek het in mijn ogen. Toen tante Beatrijs het terugpakte om het in de wieg te leggen, wou ik het er weer uithalen, ook al waren mijn armen moe. En dat was dan nog niet eens mijn eigen kind!

'Soms wordt het kind naar een weeshuis gebracht.'

'En dan ziet die moeder haar kind nooit terug.'

'Ook als ze het nog eens zou zien en zou herkennen, kan ze niet vertellen dat het van haar is.'

Ik dacht aan wat over het duivenjong werd verteld. Dat hij uit een duivenei was gekropen was natuurlijk te zot voor woorden. Maar misschien was het waar dat de nonnen hem als vondeling bij de kloosterpoort hadden opgeraapt en dat er een brief op zijn hemdje was gespeld waarin werd gevraagd om goed voor hem te zorgen. Zou de moeder van het duivenjong weten dat hij was opgegroeid in het weeshuis naast het klooster, en dat hij daarna bij Marcel mocht gaan wonen omdat hij groene vingers had? Zou ze soms nog eens komen kijken? Zou ze door de tralies van het hek en door de tranen in haar ogen naar hem staren en denken: 'Dat is nu mijn jongen, maar hij weet het niet. En ik kan niets zeggen.'

Stel dat ze niet had mogen kiezen, dat iemand anders haar kind had afgepakt en naar de nonnen gebracht, zodat de mensen geen schande zouden spreken. Stel dat ze niets liever had gewild dan zelf een goede moeder zijn, maar geen kans had gekregen.

Als ik nu op mijn paard spoorslags de poort uit galoppeerde en op mijn jachthoorn blies tot de dorpelingen bij elkaar stroomden. Als ik luid verkondigde dat de moeder van het duivenjong haar kind en ook nog een zak goud kreeg als ze naar voren stapte, en dat iedereen die het waagde om haar kind weer af te pakken en schande over haar te spreken, een gepaste straf zou krijgen. Wat was een gepaste straf voor mensen die een kind afpakten en dan deden of hun neus bloedde? Dat de duiven hun ogen uitpikten, dat er ijzeren schoenen in het vuur werden gelegd en daarna om hun voeten werden geschoven zodat ze moesten dansen tot ze dood vielen, dat hun ogen op een schotel werden gelegd en dat hun tanden een voor een werden uitgetrokken, dat allemaal samen tegelijk was misschien wel een gepaste straf.

Ik dacht dat alleen in sprookjes kinderen werden gestolen, dat alleen heksen en reuzen en monsters zoiets deden, of kwaadaardige kleine mannetjes, zoals Repelsteeltje. Van dat sprookje kreeg ik elke keer weer kippenvel. Als de koningin de naam van het gruwelijke mannetje kon raden, mocht ze haar kind houden. Anders pakte hij het gewoon af. Gelukkig kwam ze te weten hoe hij heette. Met haar en haar kind liep het goed af, niet met het monsterlijke mannetje. Razend kwaad stampte hij met zijn rechtervoet op de grond, zó hard dat hij er tot aan zijn romp inzakte, hij pakte zijn linkervoet met beide handen beet en scheurde zichzelf in tweeën. Ik had er nooit eerder over nagedacht, maar dat leek nu eens echt een gepaste straf voor wie zo monsterlijk was.

Zuster Maria ging op de rand van mijn bed zitten. 'Soms stopt de moeder van een zwanger meisje zelf een kussen onder haar kleren tot het kind er is. Dan zegt ze dat het kind van haar is.'

'Dan blijven ze toch nog samen.' Tranen drupten uit mijn ogen, ik veegde ze niet weg, er was toch geen beginnen aan.

'Maar weer kan dat meisje niemand vertellen dat het haar kind is. Zelfs aan het kind kan ze dat niet vertellen, ook al ziet ze het elke dag en hoort ze het moeder tegen haar moeder zeggen.'

Hoe kon zuster Maria in een klooster zitten en zoveel weten over het leven? Waar had ze al die dingen gezien en gehoord? Wie wist wat ze allemaal had zien gebeuren in het weeshuis. Daarom was ze natuurlijk anders dan de meeste nonnen. Zou ze zoiets ooit zelf meegemaakt hebben? Was het waar wat Karlien beweerde, dat sommige nonnen lang geleden zelf gevallen vrouwen waren geweest en nu dag en nacht probeerden om hun leven te beteren?

Zuster Maria sloeg haar arm om me heen en wiegde me. Vader zei dat een kloosterzuster niet helemaal compleet vrouw was. Maar als ik naar zuster Maria keek en haar malse warmte voelde, wist ik wel zeker dat ze voor de volle honderd procent vrouw was. Zuster Maria, dat was een warm bad, warme handdoeken, warme thee, warme soep, warme armen, warme borsten, warme woorden. Wat er verder nog in haar rommelige binnenkant zat, het was allemaal warmer dan warm. Zo wou ik zelf ook zijn, mals en warm.

'Ik wil ook verpleegster worden.'

'Ik denk dat je een geweldige verpleegster zou zijn. Ik moet nu weer aan het werk, maar ik breng je mijn beste verpleegstersboek. Dan kun je al eens bekijken wat een verpleegster allemaal moet leren.'

Ik schrok me te pletter toen Bie ineens voor mijn neus stond. Fronsend spelde ze de titel van het boek dat ik aan het lezen was: *De geheimenissen van de vrouw.*

Ik klapte het boek snel dicht. Het laatste uur had ik zoveel over het leven gezien en gelezen dat het me duizelde. Hoe lang en intens ik ook zou lezen, ik wist wel zeker dat er altijd dingen zouden overblijven die ik niet zou snappen, nu niet en misschien wel nooit niet. De titel van het boek klopte. In vrouwen zaten geheimenissen verstopt. Er pasten zoveel meer geheimen in vrouwen dan in mannen. Dat kwam omdat ze holler waren en al die plooien en holten geweldige verstopplekken waren. Nooit kon iemand weten wat er allemaal borrelde en draaide en woelde en rommelde binnenin een vrouw.

Bie keek jaloers naar het boek: 'Je weet nu meer dan ik. Waarom kijk je dan zo triest?'

Ik haalde mijn schouders op. Ik kon Bie niet vertellen welke afgrijselijke beelden er door mijn hoofd spookten. Als ik dat zou doen, zouden ze uit mijn hoofd tuimelen en echter dan echt worden. Nu kon ik nog hopen dat mijn verbeelding weer eens op hol sloeg. Maar zo gauw ik mijn vreselijke vermoedens zou uitspreken, zou er geen weg terug zijn, dan zou ik nooit meer kunnen denken dat het misschien toch allemaal anders en beter was dan ik dacht.

Zo graag wou ik blijven geloven dat sprookjes eeuwenlang geleden en mijlenver hiervandaan speelden en nooit te dichtbij kwamen. Ook al wist ik intussen beter. Julia's vader was haar komen opzoeken. Hij had groot nieuws: hij zou hertrouwen. Natuurlijk moest Julia naar het feest komen. Maar na het feest was het toch beter dat ze weer naar kostschool vertrok. De kinderen van haar nieuwe moeder bleven thuis, ze waren nauwelijks jonger dan Julia, maar toch te klein voor kostschool. Julia wilde nooit meer terug naar huis.

Nooit had ik kunnen denken dat er een moment zou komen waarop ik ook niet naar huis zou willen. Ik wou niet weg bij zuster Maria, bij het duivenjong, bij de zeven in de bezemkast, zelfs niet bij mijn vuile engelbewaarder met haar grote mond, haar scherpe nagels en haar zotte kuren. Zolang ik hier zou blijven, kon ik geloven dat mijn bange vermoedens alleen maar akelige dromen waren. Wie sliep? En wie was wakker?

Ik snoot mijn neus. 'Ik weet al wat meer, maar ik heb het nog niet gezien bij een koe.'

Bie ging op bed zitten. 'Wel bij de varkens.'

Ik was niet langer het laatste varkentje. Julia wou nu ook meespelen en als laatste keuzeke komen, ook al moest ze keer op keer doodgaan en weer geboren worden omdat ze bij haar geboorte nog zieliger kon piepen dan ik.

'Vertelt dat boek ook hoe het ging met de onbevlekte ontvangenis?' Bie fluisterde in mijn oor: 'Zo groot was de kracht van Gabriëls gefluister dat Maria terstond zwanger werd en haar borsten al volstroomden met melk.'

'Je maakt me niks meer wijs. Je krijgt geen kind van engelengefluister, van te lang kussen, van zwemmen tussen kikkerdril, van badwater waarin een jongen zat. En als een man vanonder ligt, kan hij echt niet zwanger worden.'

'Spijtig.' Bie grijnsde.

Ik pakte mijn kussen en liet het op haar hoofd neerkomen. 'En wat je zei over dat vlies, groot en dik als het zeildoek van een driemaster, dat ons vanbinnen van top tot teen afsluit en ons laat bloeden als een rund bij de eerste keer, wel, daar klopt dus geen centimeter van.'

'Zeg op.'

'Als de tijd rijp is.'

'Nu je alles al weet, wil je het vuilste lied van onze oudste stalmeid zeker niet horen.'

'Dat heb ik niet gezegd.'

Bie stak haar voeten bij de mijne. 'Weet je wat er gebeurde toen de engel Gabriël middenin de nacht bij het mooiste nonnetje aanbelde?'

'Laat horen.'

Daar kreeg een engel een vies gedacht.
En wat gebeurt er middenin de nacht?
Hij ging al bij het nonnetje bellen:
'Ach, liefste nonnetje, 'k moet u iets vertellen.'

'Wel lieve engel, van waar komt gij?
En wat gebiedt de Heer voor mij?'
'De Heer gebiedt tot zijn lusten,
Dat ik vannacht bij u moet rusten.

In plaats van op uw knietjes zitten te gaan,
Zult gij op uw rugje liggen gaan.
In plaats van uw handjes samen te vouwen,
Zult gij uw beentjes openhouwen.'

'Wel lieve engel, zeg mij uw naam,
Want als er soms een kind van kwaam.'
'En mijn naam is Gabriël,
Al de nonnetjes kennen mij wel.'

SPREEK EN IK ZAL GEZOND WORDEN

'Mevrouw Dekempeneer, wacht u hier. Emma komt. Wat zal ze blij zijn! Daar is ons zonnetje al.' Zuster Isidora hield de deur van de ontvangstkamer voor me open. Ze lachte met hoge, kirrende geluidjes. Als ze wou klinken als een duif, kwam ze nog niet in de buurt. 'Wat is ons meisje toch gegroeid! Dat kan ook niet anders met al die zuivere buitenlucht en al dat gezonde eten.'

Zo gauw er bezoek opdook, ondergingen de meeste nonnen een complete gedaanteverandering. Van heks naar fee, van toverkol naar engelbewaarder, van ijskoningin naar beschermheilige. Gelukkig bleef zuster Maria dezelfde.

Moeder liep naar me toe. Zowat elke nacht droomde ik dat ze haar armen om me heen sloeg. Maar nu het eindelijk bijna zover was, aarzelde ik, terwijl ik toch niets liever wou. Niet zozeer omdat het daarna nog moeilijker zou zijn om weer een tijd zonder haar armen verder te moeten, maar vooral omdat ik haar pas echt helemaal stevig vast zou kunnen pakken als ze me vertelde wat ze te zeggen had. Ze zag mijn aarzeling, haar armen zakten een beetje, haar mondhoeken ook.

'Waar wacht je op, Emma? Geef moeder gauw een kus. Jullie hebben een uur en dat zal veel te gauw om zijn.'

Het werd een halve kus, met lippen die langs wangen scheerden en in haren verdwaalden, maar zuster Isidora knikte goedkeurend. 'Niets is mooier dan de liefde tussen moeder en kind, naar het grote voorbeeld van de Heilige Moeder en haar Heiligste Kind. Dat moet zelfs een ongelovige beamen. Ga toch zitten. Koffie of thee, mevrouw Dekempeneer?'

'Koffie graag.' Moeder ging niet zitten, ze bleef staan, ik ook. Met halfopen mond staarde moeder van de vier kruisbeelden, aan elke wand hing er een, naar het schilderij met het enorme oog dat streng terugkeek. Haar lippen spelden geluidloos het opschrift bij het beeld van de Heilige Rita: patrones van de hopeloze en onmogelijke zaken. Telde ze nu de bloedende wonden van de Heilige Sebastiaan aan de overkant? Als ze de onschuldige maagden wou tellen die samen met de arme Ursula hun vreselijke ondergang tegemoet zeilden op het schilderij ernaast, zat ze hier morgen nog.

Eindelijk keek ze echt naar mij. 'Emma, wat ben je gegroeid en wat zie je er goed uit.'

Van haar kon niet hetzelfde gezegd worden. Ze zag er zo anders uit dan in mijn dromen, kleiner en kleurlozer en gewoner. Hoewel ze overduidelijk blij was om me te zien, kon haar glimlach niet verstoppen hoe bleek en moe ze was. En ik had haar nog nooit zo zenuwachtig gezien. Haar benen, haar voeten, haar armen, haar handen, haar neus, haar mond, haar ogen, alles trilde en knipperde, geen stukje van haar kleine lichaam bewoog rustig en zacht. Haar blik schoot over mijn lichaam heen, van boven naar onder, van links naar rechts.

Ik ging nog wat rechter staan en trok mijn schouders naar achteren. Ik keek naar haar borsten, ik zag haar naar de mijne staren. Zouden de hare gekrompen zijn? Karlien beweerde dat ze bij grootmoeders verschrompelden tot trieste hangzakjes. Dat had ze gezien toen ze met haar moeder haar grootmoeder had verzorgd.

Moeder ging zitten. Ze wiebelde op haar stoel. Zuster Isidora glimlachte toegeeflijk. Als ik hetzelfde zou doen, zou ze me hard bij mijn schouders grijpen en in mijn oor sissen: 'Zit stil!'

Moeder zuchtte. 'Emma, wat ben ik blij dat het tenminste met één van ons goed gaat.'

‘Hoe gaat het met zus?’

Moeder schudde het hoofd. ‘Vertel eerst over jezelf. Je brieven zijn zo kort.’

‘Elke zondag laten we ze naar huis schrijven. We zorgen ervoor dat ze daar ruim de tijd voor krijgen.’ Zuster Isidora zei er niet bij dat ze vorige week mijn uitvoerige beschrijving van de snotvis-spruiten-stoofschotel had geschrapt. En dat Bie een uur op de koude tegels had moeten knielen met haar armen omhoog, mocht de buitenwereld ook niet weten. Daar werd een brief wel korter van.

‘Ik dacht dat ik het allemaal zou kunnen vertellen als ik weer thuis zou zijn. Ik dacht dat dat niet lang meer zou duren.’

Moeder slikte zichtbaar. ‘Ach, Emma, ik zou niets liever willen.’

Hoe kon ik dat geloven? Hoeveel zaterdagmiddagen had ik vergeefs staan wachten? De laatste keer stond ik zonder koffer op de speelplaats. Ik wist toch wat er komen zou. Met mijn armen over elkaar geslagen keek ik dwars door moederoverste heen terwijl ze vaders vaste verhaal afdreunde. En nu stond moeder hier. Het was niet hetzelfde als naar huis mogen, maar het was iets. Zo gauw zuster Isidora verdween, zou moeder eindelijk iets over zus kunnen vertellen dat niet gelogen was. Ik kon niet wachten tot dat opdringerige mens zou opkrassen. Had ze niets nuttigers te doen?

‘Emma.’

‘Ja?’ Desnoods mocht zuster Isidora meeluisteren en wist straks het hele klooster alles wat moeder had gezegd. Zolang het maar gezegd werd.

‘Hier.’ Moeder schoof een groot pak koekjes over de tafel naar me toe. Mijn lievelingskoekjes, genoeg voor twee maanden elke dag één koekje, of één groot koekjesfeest in de bezemkast, straks. Tenzij...

Ik wachtte tot zuster Isidora eindelijk de deur uitging om koffie te halen. ‘Neem me mee naar huis.’

'Dat kan niet, Emma.'

'Wel. Als u vraagt of ik nu met u mee mag, dan kan het. Het is zaterdag, ik kan morgen terugkomen. Een moeder is toch de baas over haar eigen kind?'

Ze wreef over haar arm, of ik haar daar een harde stomp gegeven had. Nog nooit in mijn hele leven had ik moeder zo uitvoerig bestudeerd. Vroeger, thuis, was ze er altijd, heel gewoon. Ik vond haar zacht en rustig, misschien wat te stil en wat te gewoon, maar tegelijk vond ik het ook wel fijn dat ze niet de hele dag kakelde en schaterde als onze buurvrouw. Maar nu ik iets wist van al die geheime holten en plooien en vouwen die in haar vrouwenlijf zaten, nu ik me een beetje kon voorstellen hoe hol en hoe bol ze ooit was geweest, eerst met zus en dan met mij erin, bekeek ik haar met andere ogen. Ik staarde naar haar buik, stevig verpakt in een vormeloze donkerblauwe rok en bleekblauwe bloes. Had ik echt ooit helemaal in deze vrouw gezeten? Had haar bloed door mijn aders gestroomd? Was ik vlees van haar vlees?

Hoe graag wou ik dat ze een kussen onder die saaie rok van haar had gepropt en nu blozend stotterde: 'Er komt een kindje bij. Als zus is genezen kan ze me helpen om het te verzorgen.' Of liever nog: 'Zus heeft een stommiteit begaan. Jef is echt niet de juiste man voor haar. Maar we proberen iets te regelen.' Of anders: 'Wat zullen de mensen roddelen. Nooit durf ik nog de deur uit. Emma, vanaf nu moet jij maar alle boodschappen halen. Vader en ik blijven binnen tot de laatste roddel is uitgestorven.'

'Lekker, koffie.' Zuster Isidora stommelde met een dienblad naar binnen en vulde de ontvangstkamer met het gerinkel van kopjes en lepeltjes. 'Jullie zullen elkaar wel veel te vertellen hebben na al die maanden.' Zuster Isidora ging op de stoel naast moeder zitten en schonk ook voor zichzelf een kopje koffie in. Ze gooide er drie klontjes in. 'Wat heeft onze Emma het hier toch goed, hè mevrouw Dekempeneer. Alles krijgt ze hier: meer dan genoeg gezond eten, op tijd en stond sport en spel in de buitenlucht, een ongestoorde nachtrust, voedsel voor de geest én voor de ziel, de juiste gezangen en gebeden, gewijde geschiedenis, stichtende verhalen... Alles wat een meisje nodig heeft om in alle veiligheid te groeien en te bloeien, geven we haar. Al wat onrein en gevaarlijk is, houden we buiten. Maar we zijn ook vooruitziend. We bereiden haar voor op een leven als deugdzame huisvrouw, later, als de tijd rijp is. Emma, vertel moeder over de sokjes voor Ouagadougou.'

Moeder keek me vragend aan.

'Ik kan babysokjes breien en mutsjes en truitjes en broekjes. Ik kan kussenslopen en lakentjes borduren.'

Zuster Isidora verbeterde me niet, hoewel er op de hele school geen meisje of non rondliep die niet wist wat voor een kluns ik was met naald en draad en haakpen.

'Ze leren hier zoveel dat later nog van pas zal komen, mevrouw Dekempeneer.'

Moeder knikte aarzelend.

'Beeldschoon zijn de kussenslopen die de meisjes borduurden voor het koningskind. Natuurlijk stopten we niet met borduren toen we het vreselijke nieuws hoorden. We hebben alle slopen keurig afgewerkt en in grote dozen gestopt. Als we maar blijven bidden, kunnen we die slopen ooit aan onze dierbare koningin overhandigen. Nu natuurlijk nog niet. Dat zou ongepast zijn. Arme koningin...' Zuster Isidora snoot haar neus, gooide nog een klontje in haar koffie, roerde en nipte.

Ook moeder stopte haar neus in haar kopje. Ze had het nieuws vast en zeker ook gehoord. Het hele land rouwde, want het koningskind was gestorven nog voor het er was. Zelfs een koningin die dag en nacht bad, werd niet gespaard.

'Onze koningin heeft toch echt geen geluk in haar leven, mevrouw Dekempeneer. Tijdens haar huwelijksreis ging het land in staking en moesten ze terugkeren. Nog maar pas had ze de slachtoffers van de overstroming getroost of ze moest de sukkelaars, bedolven onder de modderberg, moed inspreken.'

En dan had haar kind ook nog op de verkeerde plaats in haar lichaam gezeten, buiten de baarmoeder. In de bezemkast vroeg iedereen zich af waar het kind dan wel had gezeten. Berta hield het op de maag, Karlien dacht aan de darmen, maar ik wist wel beter. Ik had gezien in het boek van zuster Maria waar een kindje kon zitten als het niet in de baarmoeder zat. Maar het bleef natuurlijk even erg als je wist wat er precies aan de hand was. Daar kon geen boek iets aan veranderen. Bie beweerde dat de koningin zo erg naar een kind had verlangd dat ze de lege wieg al eens had gewiegd en dat zoiets ongeluk bracht, maar ik gooide de dweil naar haar hoofd en zei dat ze moest ophouden met stommiteiten te verkopen waar niemand beter van werd.

'Zou er iets ergers zijn dan een kind verliezen?' Zuster Isidora knikte toen moeder haar zakdoek pakte.

Het leek of er bij moeder een dijk brak. Minutenlang schuilde ze achter haar zakdoek, terwijl haar vrije hand over de tafel naar mij toe kroop. Hoe klein en smal was die hand, hoe erg beefde ze. Misschien had ze nog slechter nieuws dan ik kon vermoeden, en was ze hier om me dat te vertellen. Misschien was ze nu moed aan het verzamelen om me het te kunnen zeggen. Nee, dat kon niet, dat mocht niet. Ik moest gauw iets zeggen, iets doen.

'Ik heb een pakje voor zus. Wilt u het aan haar geven?' Ik viste het pakje uit mijn schortzak.

'Een verrassing!' Zuster Isidora greep mijn pakje en maakte het zomaar open. Ze haalde het Mariaflesje eruit. 'Het genezende water zal uw zieke dochter deugd doen. En ook nog een bidprentje van de Heilige Agatha, twee zelfs, Emma heeft ze tegen elkaar geplakt.'

Moeder keek beduusd naar de Heilige Agatha die op het ene prentje de schaal met haar afgesneden borsten droeg en op het andere prentje glimlachte naar de Heilige Petrus, die met zijn tedere aanrakingen haar wonden heelde.

'En ook nog een zelfgemaakte sjaal. Voelt u eens hoe warm, het is een dubbele met een voering binnenin. Dat heeft onze Emma goed gedaan. Ziet u hoeveel ze hier geleerd heeft?'

Ik pakte alles gauw weer in. Zou zus eraan denken om de sjaal open te prutsen als ze binnenin papier hoorde ritselen? Zou ze het dopje van het Mariaflesje draaien? Zou ze de bidprentjes van elkaar lospeuteren? Drie kansen had ze, op drie briefjes.

'Mag ik een cent?'

Moeder vroeg niet waarom, maar gaf het me zomaar. Ik liep naar het ijzeren beeldje van het zwarte mannetje dat op de lage kast stond en stopte de cent in de gleuf in zijn buik, boven zijn gevouwen handen. Hij knikte naar me met zoveel overtuiging, of zijn leven ervan afhing.

'Voor de weeskindjes van het donkere continent.' Zuster Isidora klopte op mijn schouder. 'Emma heeft een hart van goud en ze is zo slim, mevrouw Dekempeneer, maar ze kan ook ongelooflijk koppig zijn en opstandig. Het is wel duidelijk dat ze in haar lastige jaren zit. We zullen haar zo goed mogelijk helpen om die moeilijke tijd zonder kleerscheuren door te komen. Maar u heeft ook nog iets voor haar meegebracht, zie ik.'

Waar bemoeide ze zich mee? Ik moest dat mens de deur uit krijgen.

Moeder gaf me een papieren zakje.

'Dankuwel.'

'Maak het toch open, Emma.' Zuster Isidora wiebelde of ze zelf een pakje had gekregen. Ik maakte het open voor zij het deed. Ik haalde er twee hagelwitte onderbroeken uit. Ze roken naar vers katoen dat nog nooit gedragen was. Er was een tijd geweest, in een vorig leven, dat ik ongelooflijk blij zou zijn geweest met elke nieuwe sok, met elke nieuwe onderbroek. Die tijd was voorbij. Voor mijn part liep ik hier de rest van mijn dagen zonder onderbroek rond. Ook nu, hier, temidden van al die heiligen en zuster Isidora en moeder, zat ik zonder onderbroek. Omdat Mirjam gelijk had: als ze op het einde van de maand te vuil waren, liep je beter zonder rond. Vroeger dacht ik dat de anderen het aan me konden zien als ik zonder liep. Intussen wist ik dat de nonnen niets in de gaten hadden, zolang ik niet struikelde. Wat zou er gebeuren als ik dadelijk onder hun ogen van de grote brede marmeren trap zou tuimelen? Ik zou ook hardop het liedje kunnen zingen van het pakje uit het zakje. Misschien was neuriën al genoeg.

Zuster Isidora griste een onderbroek uit mijn handen. 'Dat is kwaliteit. Wat word je verwend, Emma. Een beetje meer dankbaarheid zou geen kwaad kunnen.'

Ik schoof mijn stoel naar achteren en liep naar moeder toe. Nu leek het of zij aarzelde. Terwijl ik mijn armen traag spreidde, maaide ik beide kopjes van de tafel. Ze kletterden in duizend stukjes uit elkaar op de tegelvloer.

Zuster Isidora kneep haar ogen samen. 'Opruimen.'

Moeder knielde al: 'Dat doe ik wel.' Ze sneed zich al aan de eerste scherf, maar ging toch door met oprapen.

'Neenee, mevrouw, praat u toch rustig verder. Het bezoekuur is bijna voorbij.' Eindelijk verdween zuster Isidora om veger en blik te gaan halen. Hoeveel minuten hadden we? Hoeveel zinnen? Moeder zat weer aan tafel en bestudeerde haar nagels. Ik legde mijn hand op de hare, maar nu bestudeerde ze mijn nagels.

'Moeder.'

'Emma?'

'Dat pak in mijn koffer, dat pak voor je weet wel... Wel, dat pak is helemaal op.'

Moeders ogen schoten weer vol. 'O Emma, meisje toch.'

'Zuster Maria heeft me een nieuw pak gegeven en dat is intussen ook al op. Nu heb ik niets meer.'

Het kostte me geen moeite om daar heel zielig bij te kijken, zoveel medelijden had ik met mezelf. Waar was ze toen ik langer en harder en dieper bloedde dan ooit tevoren? Waar bleven haar pleisters en kusjes? Als ik zou vertellen over mijn bloed, zou ze dan echt naar me luisteren? Had zus moeder verteld over haar bloed? Was ze ook naar moeder toegegaan toen het bloed weg bleef? Had moeder zus getroost en gezegd dat het allemaal op de een of andere manier wel goed zou komen? Maar kon het ooit goed komen zolang er een monsterlijk mannetje om het vuur danste?

Heden bak ik, morgen brouw ik.
Overmorgen haal ik de koningin haar kind!
't Is maar goed dat niemand weet,
Hoe ik in het echt wel heet.

Moeder kende hem bij naam. Durfde ze hem hardop uit te spreken? En ik? Het maakte niet uit wie banger was, wie bangst. Ook helden waren wel eens doodsbang, maar ze bleven niet onder hun bed, in de kast, in hun notendop zitten. Ze haalden diep adem en dan deden ze iets: op een gans klimmen, een zwaard uit een rots trekken, een paard zadelen, over een kloof springen, een toverlied zingen, de deur van een oven dichtsmijten, een boom vellen, in een appel bijten, kussen, een naam noemen, luid en duidelijk 'nee' zeggen... Ze deden iets!

'Hier zijn we weer.' Zuster Isidora begon overdreven zuchtend de scherven bij elkaar te vegen. Over haar gebogen rug heen bleef ik moeder aankijken. Goud zou ik ervoor geven als moeder nu met haar vingers voor mijn ogen zou knippen. 'Emma, waar zit je? Wat haal je je nu weer in je hoofd? Je ziet spoken, kindje. Nu merk je zelf dat sprookjes te veel onrust veroorzaken. Wij kennen niemand die zo monsterlijk is, die zo'n snood plan koestert. Denk na, Emma, het kan niet dat ouders het kind van hun kind weggeven, of het een jas of handtas is. Er bestaat geen land of tijd waarin een moeder zoiets doet of laat gebeuren. Omdat ze dan niet meer moeder heet.'

Als moeder nu zonder iets te zeggen weer weg zou gaan, dan zouden er straks twee in de bezemkast zitten zonder moeder. En ik zou nog het meest te beklagen zijn, omdat mijn moeder er nog was, maar tegelijk ook niet, wat nog gruwelijker was dan een moeder in de koude grond.

Eindelijk verdween zuster Isidora weer met haar blik vol scherven. Ik liep naar de deur en leunde er met mijn rug tegenaan. Ik kruiste mijn armen en haalde diep adem. 'Wat zegt de dokter?'

'Wat?'

'Wat zegt hij?'

'Dat ik moet proberen om te slapen en om iets te eten.'

'Bent u ook ziek geworden?'

Ze sloeg haar hand voor haar mond.

'Wat zegt de dokter over zus?'

'Ze moet rusten. Daarom moet je hier nog een tijdje blijven. Maar binnenkort...'

Eindelijk. Er was een binnenkort.

'Binnenkort gaat ze naar het ziekenhuis en daar...'

Ze kauwde op elk woord.

'Daar maken ze haar weer beter. Als ze weer naar huis komt, dan...'

'Dan?' Ik wou hele zinnen, geen halve.

'Dan is ze helemaal hersteld.'

'Helemaal hersteld.'

'Ja.' Elk antwoord klonk wat stiller dan het vorige en dit was nauwelijks hoorbaar.

'Een mirakel. Daar geloofden wij niet in.'

Ze wist niet of ze moest knikken of schudden.
'Zal alles dan weer als vroeger zijn?'
Ik stak geen cent in haar, maar haar hoofd kantelde sneller dan dat van het beeldje.
'Echt helemaal hetzelfde?'
Hoe lang kon iemand knikkend liegen voor zijn hoofd eraf viel?
'Niets is veranderd?'
Ik viste een plat steentje uit mijn schortzak, liep naar de hoek en probeerde het in de buik van het beeldje te stoppen. Het ging er niet in. Dan maar een tik tegen zijn harde metalen hoofd. Mijn vingers gloeiden.
Droeviger dan Assepoes en Ursula zag moeder eruit, banger dan Roodkapje en Agatha, zieker dan Sneeuwwitje na het eten van de appel, kleiner dan Duimelijntje tussen haar lakens van rozenblad in haar bedje van notendop.
'Weet u dat zeker?'
Ik verstond haar antwoord nauwelijks, maar het was geen nee. Ik keek naar het schilderij met het grote bleekblauwe oog dat ons aanstaarde, naar de helgele driehoek waarin het oog zwom, naar de uitbundige stralenkrans die vanuit de driehoek vertrok, naar de engelen die de uiteinden van de stralen lachend beetpakten, naar de witte duif die vanuit de driehoek door de wolken schoot, naar de immense gouden letters: 'God ziet u.'
Moeder volgde mijn blik. Ze kromp in elkaar, niet voor het bleekblauwe oog van de Hemelse Vader in wie ze toch niet geloofde, maar voor de blik van een aardse vader die geen stralen of engelen of duiven nodig had om ons overal te volgen.
'Ik vraag moederoverste om me naar het ziekenhuis te brengen. De zieken bezoeken is een daad van barmhartigheid, dat heeft ze ons geleerd.'
Moeder stotterde: 'Dat... moet ik vader vragen.'
Hoe almachtig kon een vader zijn, en hoe genadeloos? Dacht de mijne dat hij het overal voor het zeggen had, in de

hemel, op de aarde en op alle plaatsen? Ik kon niet geloven dat moeder hem zou laten begaan. Maar ze liet hem altijd begaan. Hij sprak, zij knikte, hij brulde, zij bestudeerde haar nagels.

De klok tikte, de kaars bij de Heilige Rita flakkerde, het zwarte hoofd knikte nog wat na, de kraan boven de wasbak lekte, maar uit moeders mond druppelde niet één woord.

Ik stond er alleen voor. Ik moest dus alleen het wilde woud in. Ik had geen keuze. Of wel? Ik kon zwijgen en straks in de bezemkast koekjes uitdelen en iedereen strontjaloers maken met mijn nieuwe onderbroeken.

Ik wilde Bie horen roepen: 'Emma is een bedorven scheet!' Ik wilde morgen en overmorgen en volgende week op weg naar de grot zo lang treuzelen dat de blik van het duivenjong niet alleen mijn nek, maar mijn hele lijf verwarmde. Ik wilde over een paar maanden thuis als een braaf kind de schouderklopjes van mijn ouders in ontvangst nemen en in het grote bed schuiven en zuchten: 'Wat goed dat je genezen bent. Eindelijk is alles weer als vroeger.'

Wilde ik dat echt? Kon ik dat? Nee. Niet als ik Emma was. Ik kon hem niet laten begaan. Ook al donderde zijn boze stem en zijn harde hand op mij neer. Als ik hier op deze school ook maar iets had geleerd, dan was het dat dit niet kon, niet mocht, dat hel en verdoemenis, als ze al zouden bestaan, bij zulke dingen pasten.

Er werd tegen de deur geduwd, ik duwde uit alle macht terug. Er klonk een gilletje aan de andere kant. Alles, alles wou ik vergeven en vergeten, als moeder nu maar fluisterde: 'Zus krijgt een kind. Het was niet de bedoeling.'

Of zuchtte: 'Zus is in positie. We wilden dit niet.'

Of stotterde: 'We weten niet wat te doen. Vertel het niemand.'

Of snikte: 'Emma, ik moet iets zeggen, maar ik kan het niet.'

Ik zei ook niets. Niets kreeg ik over mijn lippen. Niet zozeer omdat zuster Isidora duidelijk niet meer alleen tegen de deur duwde en elk moment kon binnenvallen, maar vooral omdat ik nog altijd zo graag wou dat moeder het zei. Ik herhaalde binnensmonds de vreemde zin die we elke dag hardop baden in de kapel, en die me nu heel wat minder raar in de oren klonk: 'Spreek en ik zal gezond worden.'

Ik kon de deur niet meer tegenhouden. Met veel rumoer struikelden zuster Isidora en zuster Josepha de kamer in.

Ze stotterden van verontwaardiging. 'Bezoek voorbij.'

'Zeg dag.'

Ik klampte me aan mijn moeder vast. 'Neem me mee. Ik kan hier niet blijven.'

Verbijsterd keken de nonnen me aan. Ze klakten afkeurend. 'Zoveel misbaar. Straks denkt moeder nog dat we hier niet goed genoeg voor je zorgen.'

Zuster Isidora probeerde mijn vingers los te peuteren.

Zuster Josepha sleurde aan mijn mouw. 'Dit kan echt niet, hou je manieren. Wat hebben we je geleerd?'

'Wacht.'

Zuster Isidora bevroor. 'Niet toegeven aan die grillen, mevrouw Dekempeneer. Dat is niet goed voor het kind.'

'Even maar.'

'Uw dochter is al zo opstandig.'

'Ik wil nog even met Emma praten. Alleen.'

'Als u nu toegeeft, mevrouw, dan staan we niet in voor de gevolgen.'

'Ik moet haar nog iets belangrijks zeggen, familiezaken.'

Met tegenzin sloften ze allebei weg. Een meter of vijf verder bleven ze naar ons staan kijken, hoofdschuddend, mopperend.

'Emma.'

Ik bracht mijn oor naar mijn moeders mond, kneep in haar hand.

‘Ik heb geprobeerd...’

Ze had iets geprobeerd, ik wist het wel, ik wist het wel! Ik kon wel dansen van opluchting.

‘Het is me niet gelukt.’

Nee, dat kon niet, dat mocht niet.

‘U kunt nog eens proberen, nog meer, iets anders.’

‘Al wat ik kon, heb ik geprobeerd, geloof me, Emma.’

Nee, dat wou ik niet geloven.

‘Neem me mee. Drie tegen één, dat halen we.’

Maar ze schudde het hoofd. ‘Emma toch.’

‘En anders lopen we allemaal samen weg.’

Ze keek me niet aan.

‘Kan grootmoeder niet helpen, of tante Beatrijs?’

‘Ik wou dat het anders was.’

Nu huilden we samen, zij nauwelijks hoorbaar, ik harder dan de allerkleinste baby.

Zuster Josepha snelde naar me toe en trok me los. ‘Genoeg, afgelopen met die flauwe komedie!’

Zuster Isidora leidde moeder bij haar elleboog naar de poort. ‘Gelooft u me, dit is het beste voor Emma.’ Met gebogen hoofd liep moeder mee.

Zuster Josepha schudde het hoofd. ‘Ik heb het altijd gezegd. Zo’n tussentijds bezoek, dat is te erg voor een kind.’

Voor één keer had ze gelijk.

Het was te erg voor een kind.

OP MIJN NIEUWE FIETS

'Emma, hier blijven.'

'Ik moet dringend naar de zolder, zuster Roswitha.'

Zuster Roswitha foeterde. 'Er zijn al zes meisjes boven. Doen jullie het erom? Vooruit dan, niet te lang.'

Bij het open zolderraam zaten Bie, Karlien, Mirjam, Berta, Silvana en... een lijkbleke Julia, beide handen niet tegen haar oren, maar in haar schoot. Ik had Julia al verteld wat ik wist, maar ze wou nooit naar me luisteren. Nu was het blijkbaar ook voor haar zover. Kon je nog op je duim zuigen als je het had? Ze zag er bang uit. Als je wist dat je moeder was leeggebloed bij je geboorte, dan was je waarschijnlijk banger dan bang zo gauw er bloed uit je sijpelde. Bie vertelde dat haar overgrootmoeder ook was doodgebloed bij de bevalling, hoewel ze dag en nacht had gebeden.

Over de bloedberg kwam ik gegaan,
daar zag ik drie maagdekens staan.
De eerste sprak: om Maria's wil, dit moet helpen.
De tweede zei: door Haar zal het bloed wel stelpen.
De derde riep: in Haar naam, bloed, blijf staan!

Volgens zuster Josepha had het niet kunnen helpen, omdat het geen goed gebed was, ook al kwam de naam van Maria erin voor, maar wij vonden het een prachtig gebed. Het was zo onrechtvaardig dat het niet had gewerkt. Het was niet eerlijk verdeeld in de wereld: een meisje bloedde al elke maand en volgens het boek van zuster Maria meestal ook nog een beetje als ze het de eerste keer deed, en dan nog eens bij elk kind dat geboren werd. En als ze echt brute pech had, dan kon het heel soms gebeuren dat het bloeden niet stopte als het kind er was.

Terwijl de anderen de juiste gebeden prevelden, bad ik elke ochtend en avond het gebed dat geen goed gebed was voor zus. De zin van de derde maagd klonk zelfs binnensmonds heel krachtig. 'Bloed, blijf staan!' Die toverformule moest wel over bergtoppen en torens reizen.

Bie dacht dat Julia's vader had moeten kiezen: moeder of kind. Hoe kon iemand zo'n keuze maken zonder zelf in stukken vaneen te vallen? Als ik er nog maar aan dacht werd ik al misselijk. Maanden geleden hadden we eens 'moeder of kind' in de bezemkast gespeeld, maar we moesten allemaal janken: moeder, vader, kind, dokter, verpleegster, buurvrouw, engel... Nu kon ik zelfs de gedachte aan die keuze niet verdragen.

Karlien vroeg zich af of onze koning ook had moeten kiezen. Onze koningin herstelde moeizaam. Misschien lag ze op dit moment in haar ledikant te bloeden. Ik hoopte voor haar dat er een lieve verpleegster bij haar zou komen zitten die haar uitvoerig zou troosten, omdat het voor haar niet zomaar wat bloed was, maar een mislukt prinsje of prinsesje.

Wie zou zus troosten als ze met lege armen uit het ziekenhuis terugkeerde? Welke vreemde armen zouden het kind troosten? Misschien zou het dag en nacht in een weeshuis liggen krijsen, omdat er daar dertig keer meer kindjes dan armen waren. Als ik daar te lang en te hard aan dacht, schoof er geen gordijn maar een Chinese muur voor mijn gedachten.

Ik kieperde de inhoud van mijn zakje in mijn mand. Er kwam een afgrijselijke stank uit. Nog even en mijn mand stroomde over. Dan moesten ze me wel naar huis laten gaan. Bie en Karlien vertelden dat de vuile verbanden thuis in een grote pot gekookt werden tot ze weer een beetje wit zagen. Dat vond ik onvoorstelbaar goor, ook al verzekerden ze me dat er aparte potten voor gebruikt werden. Bie zei dat ze wel haar twijfels had bij de potten die gebruikt werden voor de verboden was van de nonnen. Maar als ze daarover fantaseerde, in geuren en kleuren, stopten we allemaal onze vingers diep in onze oren.

Ik ging bij de anderen zitten. Hoe droevig en alleen en bang ik me ook voelde, dit hielp. Wij samen, bloedend, als meisjesmusketiers, één voor allen, allen voor één. Ik wou hier niet weg, zeker niet nu we met zeven op de bloedzolder zaten. Niemand wist hoe het kwam, maar bij echte vriendinnen duurde het nooit lang of ze kregen hun regels samen, tegelijk.

Silvana zei dat het niet anders kon door al die wekkers en bellen op school: ring, samen uit bed, ping, samen aan tafel, dong, samen knielen, tuut, samen spelen en dus ook rang: samen regels. Ergens liep er een geheime wekker af en wij waren natuurlijk gewend om blindelings te gehoorzamen.

Karlien beweerde bij hoog en bij laag dat we het bij elkaar konden ruiken. Niet alleen de zolder stonk, ook wij stonken uren in de wind, omdat we overdag niet naar boven mochten en omdat we niet in bad mochten van zuster Wisigonda als we 'vuil bloed' hadden. We kwamen er niet achter waarom niet. Omdat het badwater dan geen drie keer gebruikt kon worden? Omdat we in het water nog erger zouden bloeden en misschien wel leeg zouden bloeden? Omdat het water het bloeden zou stoppen en het bloed dan andere uitwegen moest zoeken en uit onze oren zou spuiten? Maar als we stiekem in bad gingen, met regels en al, gebeurde er niets van dat alles. Dus zuster Maria had gelijk als ze zei dat niet het bloed vuil was, maar wel de mensen die zich niet wasten.

Zuster Josepha noemde het 'kwaad bloed'. Ze keek altijd boos als ze die twee woorden blafte, hard en kort. Als zij kefte dat meisjes die 'kwaad bloed' hadden niet in de keuken mochten helpen, dan gehoorzaamden we haar allemaal blindelings.

Niet omdat we dachten dat de mayonaise zou schiften, het brooddeeg niet zou rijzen, de bloedworst rauw zou blijven, het spek zou beschimmelen, de melk zou verzuren, de eieren zouden rotten en de platte kaas zou stinken, maar omdat we de pest hadden aan die vreselijke keukenklussen die toch altijd uitliepen in vies eten. Dan liever kwaad bloed! Daar kwaad bij kijken kon ik veel beter dan zuster Josepha.

Berta dacht dat we het bij elkaar konden horen, als we onze regels hadden, dat het bloed in onze buiken dan harder en harder ruiste, tot onze buiken het rond zongen en andere buiken het door de navels heen konden horen en dan beslisten om gezellig mee te doen. Nu ja, gezellig.

Silvana had jaren geleden haar onderbroek met haar eerste bloed achter de grot begraven, omdat ze dacht dat er een kapot kindje uit haar was gekomen en dat het haar schuld was dat het stuk was gegaan. Ze durfde de moord eerst aan niemand op te biechten tot haar tante non iets in de gaten kreeg en haar naar de zolder stuurde. Daar had ze alles geleerd van de anderen.

'Koeien bloeien ook samen,' loeide Bie. 'Bloed trekt bloed aan. Maar pas op: bloed trekt ook draken aan.' En dan volgde er een verhaal over de draak die ons bloedspoor volgde en wild werd van de geur van zoveel bloedend vlees. Hij duwde met zijn klauwen tegen de zolderdeur en blies zijn hete adem door het sleutelgat. Maar dat drakenverhaal was kattenpis vergeleken bij het verhaal van Blauwbaard, die op zijn eigen bloedzolder de ene vrouw na de andere slachtte. Voor hij zijn nieuwste bruid zou martelen, kwam haar zus er gelukkig aan om haar te redden. In galop stormde ze zijn burcht binnen. Het was niet makkelijk om te galopperen in de bezemkast, maar toch lukte het me elke keer weer om Julia spoorslags uit de klauwen van Bie te redden. Vanavond zouden we geen Blauwbaard spelen. Wie zou hem moeten zijn? Een Blauwbaard waar bloed uit lekte, dat kon niet.

Silvana's nicht was een echte actrice. Zij speelde niet in een bezemkast, maar op een groot podium, onder de schijnwerpers. Regels of geen regels, zij moest de planken op, soms in een dun kleedje, soms zelfs in badpak. Dat kon natuurlijk niet met een dik verband erin. Silvana zei dat ze er een dun smal sponsje in stopte dat het bloed opzoog en dat ze er daarna weer uitpeuterde, maar dat geloofde niemand, natuurlijk.

De nonnen werden gek als we met te veel tegelijk onze regels kregen. Julia had bij haar eerste keer al het goeie moment getroffen, ik pas bij mijn derde keer. Ik gaf haar een madeliefje. 'Barbarossa op bezoek?'

Ze knikte. Altijd riep Julia dat ze liever een jongen zou zijn. Vanaf nu zou het niet zo makkelijk zijn om te dromen dat ze geen meisje was.

'Lastig, hè?'

Julia kauwde voorzichtig op het madeliefje.

Ik wees naar mijn buik. 'Gesmolten lood.'

Julia knikte. 'IJzeren kammen.'

'De eerste keer dacht ik dat ik nooit meer heel zou worden. Ik weet wel zeker dat ik nooit vergeet waar ik toen was, ook al word ik vijfhonderd jaar en krijg ik het vijfduizend keer.'

Wat wist Julia intussen wel en wat niet? Wat wou ze weten, wat wou ze geloven en wat niet? Ik wou best geloven dat we op dit moment bijzondere krachten hadden. Er werd verteld dat waar wij zouden stappen, ijzer zou roesten, bloemen zouden verwelken en schepen vergaan. Maar er werd ook gezegd dat ons bloed het vlas pas echt deed opschieten en de vlierboom pas goed liet bloeien. Wat er ook van zij, niemand deed ons dat na. Wou Julia nu al weten dat je dit nooit kon regelen? Je mocht tellen en aankruisen op je kalender tot je zot werd, nooit kon je uitvinden wanneer het precies zou komen. Het kon je overvallen in je slaap, in volle turnles, in bad, tijdens een preek van pater Ezechiël. Je wist misschien wel ongeveer welke dag, maar nooit welk uur, hoeveel, hoe lang, hoe hard...

Het was ons geheim, iets van elk van ons apart en ook nog van ons samen, iets wat geen jongen wist, tenzij wij het hem vertelden. Was Julia teleurgesteld, zoals Berta, die altijd had gehoopt dat ze zich vanaf haar eerste regels in één klap heel sterk en groot en volwassen zou voelen? Nee, dat paste niet bij Julia, maar klopte wel bij Berta. Zelf stond ik ervan te kijken hoe sterk ik me drie, vier dagen erna voelde, of ik een oorlog had overleefd. In onze buiken speelden zich gevechten af, tien keer erger dan de strijd van de Romeinen tegen alle barbaarse volkeren samen, honderd keer erger dan wat de beste president van de wereld te verduren kreeg met al die Russische honden in de ruimte.

Zelf wist ik ook nog niet alles, maar ik kwam er nog wel achter wat Karlien bedoelde als ze zei: zelfs de Rode Zee wordt wel eens bevaren. Misschien had het iets te maken met het feit dat ik ondanks de krampen heel bijzondere dromen droomde als ik het had? Dan renden de mieren nog harder rond, dan streelden de veertjes mijn huid nog zachter, dan vloog ik nog sneller op mijn fiets over berg en dal, zoals in het vuile liedje dat Karlien op honderd manieren kon zingen, de ene nog vettiger dan de andere.

Intussen wist ik heel goed wanneer ik een smerig liedje zong.

Ik reed op mijn nieuwe fiets,
met mijn snee,
met mijn sneeuwwit kleedje aan.
Met mijn lief zijne zak,
met mijn lief zijne zakdoek in mijn hand.
Ik reed op mijn nieuwe fiets.
De kleintjes wisten van niets.

Julia was nu geen kleintje meer. Ik sloeg mijn arm om haar heen. 'Welkom in het Land van Enkel Vrouwen.'

In dat land hadden alle mensen een klok in hun buik en wisten ze ook zonder horloge hoe laat het was. Tot de klok stil bleef staan... Nee, daar wou ik niet aan denken. Niet nu, niet nu we hier samen zaten.

'Rara, het is rood en vliegt door de klas?' Bie kon het weer eens niet laten.

'Een ongestelde vraag.'

'Niet grappig.' Julia keek Bie korzelig aan, maar dat hield Bie niet tegen. 'Het is met Doornroosje begonnen. Dat kind haatte de kruisjessteek. Elke keer prikte ze zich. Eén keer echt heel hard. Niet in haar duim, dat zeggen ze om het fatsoenlijk te houden. Bij de eerste druppel viel ze al flauw. Na honderd jaar slapen kwam de prins. Ze werd niet wakker van zijn kussen. De prins dacht na. Wat kon hij nog doen? Voorzichtig tilde hij haar rok op, tot boven haar enkels, haar knieën, haar dijen. Doornroosje bleef slapen, niet meer door kostbare zijde, maar slechts door lucht gekleed. Ze sliep en sliep en droomde zoete dromen. Nat hooi gaat broeien, dat weet elke ezel. Toen het eerste kind uit haar kroop, knipperde Doornroosje met haar rechteroog, toen het tweede kind kwam met haar linkeroog. Toen het eerste kind aan haar rechterborst zoog, mompelde ze: "Waar ben ik?" Toen het tweede kind aan haar linkerborst zoog, kwam ze overeind: "Wat is er gebeurd?"'

In mijn hoofd veerde niet Doornroosje, maar zus overeind. Met het kind gulpte een stroom bloed uit haar, het droop uit haar bed, het raam door, de gevel langs, de straten over, tot bij onze schoolpoort, het kroop de witte marmeren trap op, die trede na trede rood, rood, rood kleurde tot bij de zolderdeur, het sleutelgat door, over de zoldervloer tot waar ik zat te bloeden. Mijn bloed was donker en kwaad, het hare rozig en bang. Waar onze stromen zich vermengden ontstond er een meer, zo triest dat niets of niemand erin kon leven.

Ik mocht hier niet blijven. Ik moest naar huis. Misschien konden we met zijn zevenen op pad gaan, lantaarn op de rug, zingend over berg en dal: 'Heho, heho!' Zeven bracht geluk, zeven planeten, zeven dagen, zeven wensen, zeven zusjes...

Nee, dit moest ik alleen doen. Was het kleinste zusje groot genoeg om in het donkerste sprookje mee te spelen? Was ze sterk genoeg om de steile berg te beklimmen, om het wilde woud door te komen, om over het diepe ravijn te springen, om de woestijn te doorkruisen, om het monsterachtige mannetje zover te krijgen dat hij eerder zichzelf dan een ander zou verscheuren?

Ik sprong op, rende stampvoetend de zolder rond en schopte mand na mand omver. Met dichtgeknepen neuzen staarden de anderen naar de smeerboel, hun ogen groot van verbazing. Ook bewondering las ik in hun blik. Alle dakramen aan de straatkant gooide ik open. Ik vond het onvoorstelbaar smerig, maar toch deed ik het. Ik graaide handenvol bebloede verbanden van de vloer en smeet ze door de ramen. Ik smeet met zoveel kracht dat ze voorbij de dakgoot vlogen, de straat op. Ik hoorde een kreet beneden, de bel bij de grote poort klingelde.

Ik bleef smijten. Ik zou een lange ketting kunnen knopen die de grond raakte. Zo gauw de regen ze had schoongespoeld, zou ik naar beneden kunnen klimmen en ervandoor gaan.

Nee, er was geen tijd om op de regen te wachten, er was geen tijd om kinderachtige dromen te dromen. Als ze me nu niet wegstuurden, moest ik onmiddellijk een nieuwe gelegenheid tot zonde zoeken, en die niet met afgewend hoofd voorbijlopen. Ik moest haar grijpen en vollen bak zondigen. Ik had al verschillende onnozele zonden uitgeprobeerd, maar ik moest nog verder gaan. Nu ik eindelijk hier wou blijven, moest ik weg, en wel voorgoed, want een meisje dat hier van school werd gestuurd, mocht nooit ofte nimmer terugkomen.

Ik hoefde mijn hersens niet te pijnigen. Als ze me deze lading kwaad bloed zouden vergeven, wist ik al welke zonde de nonnen onvergeeflijk vonden, welke zonde zij de allergrootste vonden, in de hemel, op de aarde en op alle plaatsen.

'Jij durft.'

Ik schrok toen hij uit de schaduw van het duivenhok stapte. De maan stond achter hem. Ik kon zijn gezicht niet echt scherp zien, maar zijn stem klonk bewonderend. Het duivenjong kwam naar me toe tot we op een armlengte van elkaar stonden. Ik had wel gedacht dat hij naar duif zou ruiken, maar dat hij zo ongelooflijk hard naar duif zou ruiken had ik nooit vermoed.

Hij had zijn werkkleren en zijn laarzen aan. Ik had mijn jas over mijn nachtkleed aangetrokken. Daaronder droeg ik mijn nieuwste onderbroek. Schoenen had ik ook aan, maar geen onderkleed, geen schort, geen dikke uniformrok, geen kousen. Ik droeg minder dan de helft van de kleren die moesten. Ik was dus meer dan halfbloot. Hoe langer hij naar me keek, hoe bloter ik me voelde. Hier stond ik nu, niet meer door simpel katoen, maar slechts door lucht gekleed. Als Doornroosje. Wie sliep? En wie was wakker?

'Jij durft ook. Je mag niet met ons praten. Straks vlieg je ook buiten.'

'Ze doen maar.'

Dat was precies wat ik ook zeggen wou, even duidelijk, even kalm, niet op het duiveneiland, maar ginds, in de klas, in de refter, in de kapel, waar ik me had laten uitkafferen zonder een woord terug te zeggen.

'Schande.'

'Duivelskind.'
'Nog één zo'n streek...'

'Het was een mooie brief.'
'Kon je hem makkelijk vinden?'
'Er zaten meer brieven in die spleet naast de krukken, maar ik kon er maar eentje lezen.'
Dat kreeg je met maar één jongen in de buurt. De hele school droomde van hem. En hij? Zou hij elk jaar een meisje kiezen uit de eindeloze rijen die naar de grot marcheerden? Een om van te dromen, een om mee naar het bal te gaan, een om mee op de fiets te rijden? Keek hij langer naar mij dan naar al de anderen? Nu keek hij in elk geval naar mij, zoals nog nooit iemand naar mij had gekeken. Hij kon zijn ogen niet van me afhouden. Ik bloosde. Als hij het niet kon zien zou hij nu wel voelen hoe de lucht begon te kolken.
'Ik heet Arnoud.'
Een naam voor een ridder, of voor een schildknaap. Wie had hem zijn naam gegeven? Was die naam al op zijn hemdje gespeld of had een non hem gekozen?
'Je kunt goed tekenen.'
'Een heel klein beetje.' Ik was het niet gewend om een complimentje te krijgen.
'Slim om tekeningen in plaats van letters te gebruiken.'
'Was het duidelijk?'
'Ja, je wou me zien.'
'Ja.'
'Het was dringend.'
'Heel dringend.'
'En ik moet helpen.'
'Wil je dat?'
'Ik ben er toch.'
Hij was er. Boven onze hoofden klonk zacht geruis. Hoorde je geruis, voelde je een lauwe wind als het niet waaide, streek

er een zachte vinger over je huid, dan was die ene speciale engel die voor je zorgde bij je. Je eigen engelbewaarder voor wie geen tralie te dik was, geen hek te hoog, geen deur te zwaar. Was deze jongen de mijne en was hij ook nog dapper en sterk en slim genoeg om mij te redden, en zus erbij?

Zag ik het goed, landden er nu twee duiven bovenop zijn hoofd? Hij lachte, geen hoge meisjeslach, maar diep uit zijn keel borrelde een soort brommen op dat tegelijk lachen was. Hij haalde zijn hand uit zijn broekzak. De duiven vlogen ernaartoe, maar hij hield hem dicht. Zijn gesloten hand zweefde naar mijn mond, maar hij aarzelde en stopte zijn hand weer in zijn broekzak. Hoe vastberaden zijn gebaren ook waren als hij met de duiven bezig was, nu wist hij geen blijf met zijn handen.

Met zijn rechterlaars veegde hij de pluimpjes op de grond bij elkaar. Het kon niet anders of er renden nu ook bij hem mieren over de evenaar tot de hittegolven en de stormen bijna ondraaglijk werden. Als ik een veer meenam die naar hem rook, zou ik dan zelf storm kunnen maken, honderd kilometer hiervandaan? Zou dat dan troosten of zou ik hem dan nog duizend keer harder missen?

'Kom mee.'

'Waar naartoe?'

Ik stapte over het bruggetje, langs de struiken, naar de grot toe. Hij volgde, hij zou me tot het eind van de wereld volgen. 'Van ten twaalven tot ten een is de duivel op de been.'

'Laat maar komen.' Zijn stem duwde in mijn rug.

Voor de grot bleef ik staan. 'Je hebt Bernadetje geschilderd.' Naast het beeld stond een bokaal met borstels erin.

'Het gezicht en de handen moet ik nog doen.'

Ik viste een smalle platte borstel uit de bokaal en veegde hem af aan het mos. Voorzichtig streek ik over de gevouwen handen van Bernadetje. Ook al zat er geen verf op, het voelde ongelooflijk fijn om het te doen.

Arnoud pakte de kleinste borstel en veegde hem af aan zijn broek. Nu wisten zijn handen weer helemaal wat ze doen moesten, de mijne ook. Ik liet mijn borstel vallen, knielde naast Bernadetje en vouwde mijn handen.

Hij begon bij mijn pink. Traag en zorgvuldig streek hij van de nagel naar de rug van mijn hand, vinger na vinger. Ik sloot mijn ogen. Nu streelden de borstelharen mijn oor, mijn wang, mijn neus en, vederlicht, mijn oogleden. Mijn hart bonkte in mijn keel. Ik wou dat hij mijn lippen beroerde, eerst met borstelharen en daarna met warm, levend vel.

Geen boterzacht meisjesvel voelde ik, maar korreliger huid, met korstjes en roofjes en plekjes eelt. Geen lippen maar vingers. Dit mocht niet ophouden, nooit. Nu wist ik hoe het voelde, begeerd worden. Het was tegelijk onvoorstelbaar prachtig en ongelooflijk angstaanjagend.

Verstond ik het goed? Fluisterde hij echt: 'Een druifje voor mijn duifje?' Ik kuste de gladde koele schil die mijn lippen uit elkaar duwde. Het was het mooiste wat iemand ooit tegen me gezegd had. En het was dan wel geen kus, maar die druif was toch het lekkerste wat ik ooit had geproefd en ik had hem nog niet eens stukgebeten. Als het me zou lukken om deze druif in mijn mond te houden tot ik thuis was, dan zou alles goed komen.

Nu wreef hij met zijn duim over mijn wang, mijn oor, mijn kin, en juist het niet-zachte, het raspende, het ruwe van zijn vel deed me wankelen. Hij hielp me om weer overeind te krabbelen.

Wees hij nu met zijn kin naar de grot of droomde ik met open ogen? Of hij nu wees of niet, ik schudde het hoofd. Later, veel later, wou ik pas meegaan. Niet omdat vader en de nonnen dat riepen, maar omdat ik het zo wou. Als ik en alleen ikzelf zou zeggen wat ik honderdduizend keer had gehoord: dat de tijd rijp zou zijn. Ik pakte Arnoud bij de hand en trok hem mee achter de grot.

Hij schrok. 'Het is gevaarlijk, daar.'

'Weet ik. Wat daar groeit, deugt niet. Wat deugt, groeit daar niet. Een meisje dat zich daar waagt, komt niet ongeschonden terug.'

Ooit zou hij me vastpakken, een arm om mijn schouders, een arm onder mijn knieholten. Stap voor stap zou hij zich een weg banen tussen de behaarde stelen en de grote gekartelde blaren door. De berenklauw zou niet door zijn dikke werkkleren en laarzen heen kunnen dringen. En dan zou ik op de open plek mijn schoenen uittrappen en op zijn laarzen gaan staan en in zijn oor zingen.

Wie benauwd is van de blaren, mag al in het bos niet gaan.
Wie zijn bloemeke wil bewaren, mag bij gene jongen gaan.
Rode krieken zullen ze plukken en de groene laten staan.
Schone meiskens zullen ze kussen en de lelijke laten staan.

Nu ik elk woord apart en alle woorden samen snapte, begreep ik pas echt wat zus bedoelde als ze zei dat ze zo verliefd was dat het zeer deed.

'Ik moet hier weg.'

'Ik breng je terug.'

'Ik moet weg van school.'

'Voor altijd?'

'Voor altijd.'

'Waarom?'

'Het kan niet anders.' Misschien liep er op de hele wereld niemand rond die het beter zou begrijpen, maar toch kon ik het niet aan Arnoud vertellen. 'Ik moet iets doen.'

'Ik help.'

'Heel even. De rest moet ik alleen doen. Niemand kan het in mijn plaats.'

'Zie ik je nooit meer terug?'

Ik staarde naar de bleke maan. Als er al mirakels zouden

kunnen gebeuren, dan zou dit offer in elk geval groot genoeg zijn om er een af te dwingen. Ik beet de druif stuk. De pitten zou ik houden, eerst in mijn mond, dan in een doosje, voor altijd.

Ik stapte naar de blaren toe.

'Pas op. Daar komen brandwonden van.'

'Ik heb een grote brandwonde nodig. Als mijn kous afzakt, moet iedereen die zien.'

'Weet je het zeker?'

'Heel zeker. En de nonnen moeten ons vinden.'

'Hier?'

'Hier.'

'Samen?'

'Samen.'

'Er hangt een bel aan het hek. Gooi die bokaal ertegen en de hele school wordt wakker.'

'Zeg dat het mijn schuld is, dat ik je vroeg om ongehoorzaam te zijn.'

'Vraag maar.'

'Wil je ervoor zorgen dat ik een grote brandwonde krijg en wil je mijn hand vasthouden tot ze ons vinden?'

Met zijn vrije hand plukte Arnoud een groot gekarteld blad. Hij schrok, beet op zijn lippen toen de berenklauw zijn hand verschroeide. Traag bracht hij het blad naar mijn been. Ik tilde mijn jas en mijn nachtkleed op. Minutenlang bleef hij naar mijn knie kijken, terwijl hij nog harder in de stengel kneep en de tranen uit zijn ogen sprongen.

Toen hij me raakte, sloegen de vlammen toe.

HEDEN BAK IK, MORGEN BROUW IK

'Meneer Dekempeneer, gaat u zitten. We hebben u naar hier geroepen om te praten over Emma.'

Vader ging op het puntje van zijn stoel zitten. Hij keek niet naar de beelden en de schilderijen in de ontvangstkamer. Mij bekeek hij wel van top tot teen. Ik knipperde met mijn ogen, maar ik keek niet weg.

'Jammer dat uw vrouw niet mee kon komen.' Zuster Josepha schonk vader een kopje thee in.

'Kon dit niet wachten? Het komt zo ongelegen. Nog enkele weken en mijn oudste dochter zou weer beter zijn.'

Moederoverste schudde het hoofd. 'Nee, dit kon echt niet wachten. En het was ook niet iets wat we aan de telefoon konden afhandelen, zoals u vroeg.'

'Wat is er dan aan de hand?'

'Begrijp ons niet verkeerd. Emma is geen slecht meisje, maar...'

'Maar?'

'Ze is niet echt een vroom meisje. Er gaat geen dag voorbij of ze is haar gebedenboek kwijt.'

Vader zuchtte opgelucht. 'Als het niet meer dan dat is.'

'Nee nee, er is meer.' Moederoverste aarzelde. 'Heel even droomden we dat Emma voorgoed bij ons zou komen wonen. Zo vurig bad ze de eerste weken tot Maria.'

Vader verslikte zich in zijn thee.

'Maar ze bad de verkeerde gebeden en ze bad ook nog om de verkeerde dingen.'

Vader herademde.

'We hebben echt ons best gedaan, meneer Dekempeneer. We hebben vurig gebeden tot Onze Schutsvrouwe want onder Haar mantel mogen alle zondaars schuilen. We hebben gesmeekt bij de Heilige Rita, patrones van de hopeloze en onmogelijke zaken. Gepreekte kruiswegen, geleide rozenkransen... niets mocht baten. Het is ons niet gelukt om van Emma een vroom meisje te maken.'

'Als ze maar braaf is.'

'Het spijt ons vreselijk maar Emma is niet braaf. Ze kan hier niet blijven.'

'Maar waarom niet?'

'Ze past niet in dit huis.'

'Doet ze dan niet mee met wat de anderen doen?'

'Alleen aan de buitenkant, vanbinnen blijft ze zich verzetten tegen de regels. Ze denkt dat ze uit het geloof kan kiezen wat haar bevalt en al de rest gewoon overboord kan gooien. Ik weet niet wat u haar verteld had, maar zo werkt het niet, meneer Dekempeneer.'

'Maar als ze voor de rest gehoorzaamt, doet ze toch niemand kwaad?'

'Ze heeft een slechte invloed op de jongere kinderen. Ze leert ze de verkeerde spelletjes en ze vloekt als een ketter. Het was wel duidelijk dat ze al heel wat vloeken te horen had gekregen voor ze bij ons kwam.'

Vader keek betrapt. 'Dat kan ze toch afleren? Ze kan nu echt niet naar huis komen.'

'Er dreef andijvie in het wijwatervat van onze kapel.' Moederoverste keek vader streng aan. 'Misschien tilt een ongelovige daar niet zo zwaar aan, maar wij wel.'

'Met een gepaste straf...'

'Onze biechtvader, die toch jarenlange ervaring heeft, zegt dat hij nooit eerder zo'n zware biecht bij zo'n jong meisje moest aanhoren. We hebben er zelfs een vreemde biechtvader bij gehaald. Ook hij kon geen gepaste straf vinden. Tenzij deze straf.'

Een eeuwigheid geleden, in dezelfde kamer, was de grootste straf geweest dat ik hier moest blijven, maar nu voelde van school weggestuurd worden als een onverdraaglijke straf.

'Als Emma nog wat langer hier zou kunnen blijven...'

'Ze heeft de deur van het duivenhok opengezet.'

'Per ongeluk.'

'Per ongeluk expres. Twintig jonge duiven vlogen weg. Weet u wel wat een vuiligheid duiven achterlaten? En we hadden ze ook voor een ander doel bestemd.'

'Ik geloof mijn oren niet.'

Moederoverste dempte haar stem. 'En het gaat van kwaad naar erger. Emma gooide wasgoed uit het zolderraam dat niet voor andermans ogen bestemd is.'

'Misschien wist ze niet dat het niet hoorde?'

'Het hele dorp sprak schande. Nog nooit hadden we in dit huis een meisje toegelaten uit een goddeloos nest. Maar u beweerde dat uw jongste dochter onschuldig en onwetend was, braaf en gaaf. Wij wilden u uit de nood helpen en haar ziel proberen te redden.'

'Ze was braaf en gaaf. Ze wist niets. Daar steek ik mijn hand voor in het vuur.'

'Meneer Dekempeneer, uw dochter danst smerige dansen en ze kent twintig, dertig vuile liedjes.'

'Ze kende er niet één toen ik haar naar deze school bracht. Wat zingt ze dan wel?'

'Geloof me maar als ik zeg dat het liederlijk is. Ik durf niet te zeggen wat ze zingt.'

Moederoverste wierp een blik op zuster Josepha. Die haalde een papiertje uit haar mouw en schoof het over de tafel naar vader toe.

Vader las het vluchtig. 'Is dat geen onschuldig kinderliedje over een koning die door een plas rijdt?'

'Misschien kunt u het een tweede keer lezen?'

Ik zag de blos naar boven kruipen, van vaders kin over zijn wangen tot bij zijn oren.

'Misschien zingt ze dat zonder het te begrijpen?'

'We weten wel zeker dat ze het ten volle begrijpt!'

'Emma!' Vader staarde me met open mond aan. Onder de tafel kneep ik in de plooien van mijn rok. Ik keek niet weg, ook al stonden zijn ogen nu even donker als toen hij tegen zus raasde en tierde, ook al zag ik hem denken dat ik sneller gegroeid was dan goed voor me was.

'En dan zijn er nog de verhalen die ze vertelt, meneer Dekempeneer.'

'Ze kende alleen maar onschuldige sprookjes.'

'Sprookjes zijn nooit onschuldig. En van de heiligenlevens die we haar hebben geleerd, onthoudt ze alleen bepaalde dingen. Ze haalt ook alles door elkaar, sprookjes, heiligenlevens, ontuchtige verhalen, zelfs enkele verboden boeken schijnt ze te kennen.'

'U heeft het over een ander meisje, niet over mijn Emma.'

'Uw Emma weigert om in bad een badkleed aan te trekken en ze komt 's nacht haar bed uit.' Zuster Josepha stak haar armen voor zich uit. 'Ze doet of ze slaapwandelt. Ik heb het met mijn eigen ogen gezien. We vinden haar bij andere meisjes in bed. Of in de bezemkast, zeven meisjes onder één deken, de handen niet eens erboven, zoals we ze geleerd hebben. Kunt u zich dat voorstellen?'

Vader maakte de bovenste knoop van zijn hemd los, maar na een bestraffende blik van zuster Josepha maakte hij hem weer vast.

'Ze danst met het beeld van de engel.'

'Pardon?'

'En het ergste moet nog komen.' Zuster Josepha haalde uit haar andere mouw een propje en probeerde het open te vouwen. 'Ze stuurt briefjes naar de jongste tuinman. Ze spreken af bij de grot. Daar hebben we ze gevonden, in het holst van de nacht.'

Vader kreunde. 'Niet weer.'

'Ze stonden hand in hand, zo dicht bij elkaar dat we ze eerst voor één mens hielden. Emma beweerde dat ze het beeld van Bernadette wou schilderen, maar het was al te donker om rood van geel te kunnen onderscheiden. Nooit is dit eerder gebeurd op deze school. Ze kan hier echt niet blijven.'

'Die jongen is de boosdoener.'

'Dan kent u die arme jongen niet. Hij kan nauwelijks lezen of schrijven. Emma heeft al bekend dat zij alles plande. Ze had totaal geen medelijden met de arme jongen, terwijl we haar hadden geleerd hoe zwak hun vlees wel is.'

Lijkbleek zag vader, maar met hem had ik nog geen greintje medelijden. Wel een beetje met mezelf en met Arnoud. Ik moest en zou een manier vinden om hem brieven te blijven sturen, maar dat zou pas echt onvoorstelbaar moeilijk zijn.

'Toch willen we Emma niet helemaal aan haar lot overlaten, meneer Dekempeneer. Zuster Maria heeft aangeboden om elke week een huisbezoek af te leggen.'

Vader schrok. 'Dat is niet nodig. We proberen vandaag nog een andere kostschool voor Emma te vinden.'

'Emma heeft speciale verzorging nodig.'

'Verzorging?'

'Ze heeft een grote lelijke brandwonde op haar knie. We hadden haar gezegd dat ze niet achter de grot mocht komen, maar ze wou niet luisteren. Het is geen gewone brandwonde. Niet iedereen weet hoe die verzorgd moet worden. Zuster Maria komt zo dadelijk verzorgingsmateriaal brengen en uitleggen wat er moet gebeuren.'

'Maar...'

'Tot ziens, meneer Dekempeneer, we bidden voor u en uw dochters. Het spijt ons vreselijk, maar meer kunnen we niet doen. Emma's koffer is al gepakt. Het beste, Emma, het beste, meneer.' Moederoverste gaf mij en vader een hand en liep naar de deur. Zuster Josepha volgde. 'Daar is zuster Maria, een gediplomeerde verpleegster en wel de beste.'

Zuster Maria kwam binnen, zette een grote doos op tafel en gaf vader een hand.

Vader keek haar smekend aan. 'Kunt u niet zorgen dat Emma hier kan blijven? Tot die wonde genezen is? Wij hebben al zoveel zorgen.'

Zuster Maria schudde het hoofd. 'Tegen de beslissing van moederoverste kan ik niets ondernemen.'

'Heeft Emma hier dan alleen slechte dingen geleerd?'

Zuster Maria maakte de doos open. 'Emma is geen klein meisje meer. Meneer Dekempeneer, uw dochter is een vrouw. Welke weg ze ook zal kiezen, ik geloof in haar.'

Kon het zijn dat je jezelf voelde groeien? Op dit moment dacht ik dat echt te kunnen voelen. Ik hield me stevig vast aan de warme blik van zuster Maria, aan haar warme woorden. Ik groeide. Ik moest wel.

'Ik weet wel zeker dat Emma een grote hulp zal zijn bij wat er binnenkort in uw gezin te gebeuren staat.' Zuster Maria haalde een pot zalf uit de doos. 'Drie keer daags een dunne laag op de wonde. Verzorging is zo belangrijk, meneer Dekempeneer. Anders komen er littekens van, grote littekens, littekens voor het leven. Welke ouder wil dat zijn kind aandoen?' Ze schoof de doos naar vader toe. 'Het is misschien niet veel, maar geeft u dit aan uw oudste dochter. Ze mag mij altijd bellen. En ik zou ook op huisbezoek kunnen komen om allebei uw dochters te verzorgen.'

Traag stond vader op van zijn stoel en boog zich met tegenzin over de doos. Ik zag hem staren naar de kussenslopen met 'Welkom koningskind', naar de piepkleine sokjes en hemdjes en broekjes, naar de stapel luiers.

Vader keek van zuster Maria naar mij. Hij keek me niet

recht aan, maar schuin, met toegeknepen ogen. Ik rechtte mijn rug. Met wijdopen ogen staarde ik terug. Voor één keer wou ik dat hij in mijn hoofd keek en zag wat ik dacht, wat ik voelde, wat ik wist.

Ik zag de vraag in zijn ogen opduiken: Ben jij dat echt, Emma? Is dat echt mijn kleine prinses die nu tegenover me zit?

Hoeveel prinses er nu nog in mij zat, wist ik niet, maar dat ik Emma was, dat wist ik wel. En dat ik ook vroeger, als klein prinsesje, van in mijn notendop, diep vanbinnen al was geweest wie ik nu was, maar dan zonder het helemaal te weten. Ik wist wel zeker dat dagdromers ook groeiden en dat ik op dit moment aan het groeien was. En wat ik later wou zijn en niet wou zijn, dat wist ik ook.

Zuster Maria maakte de doos dicht. 'Ik heb meer dan eens gezien wat er gebeurt als moeder en kind uiteen gerukt worden. Nooit loopt zoiets goed af. Geloof me, een grotere zonde bestaat er niet in de hele wereld.'

'Ik ben niet gelovig.'

'Dit gaat niet om geloof. Al heb ik het volmaakte geloof dat bergen verzet, als ik de liefde niet heb, ben ik niets. En al kent u alle geheimen en alle wetenschap, als u de liefde niet heeft, bent u niets.'

Vader stampvoette niet. Hij schuifelde met zijn voeten, of hij gloeiende ijzeren schoenen droeg. Hij knipperde, of de duiven in zijn ogen hadden gepikt. Hij zuchtte, of hij over hete kolen en gemalen glas werd gerold. 'Denkt u dat dit gemakkelijk is voor mij?'

'Ik denk, ik weet dat het onvoorstelbaar moeilijk is om in deze omstandigheden moedig te zijn én grootmoedig. Maar moed verloren is al verloren.'

Kleiner dan het kleinste duimpje leek vader nu. Hij sloeg zijn handen voor zijn gezicht en kreunde, of zijn tanden een voor een waren uitgetrokken. Hij zakte onderuit, of zijn ruggengraat gekraakt was. Was hij al tot aan zijn romp in de grond gezakt? Zou hij nu ook nog zijn linkervoet met beide handen grijpen en zichzelf in tweeën scheuren?

Hoe kwaad ik ook was, mijn vingers kropen naar de zijne en klemden ze stevig vast. Schep moed, schreven mijn vingertoppen in zijn vel. Doe als Sneeuwwitje en Klein Duimpje en Roodkapje en Klunsjeklein en Duimelijntje en schep heldenmoed uit wanhoop.

Ik hield mijn adem in. Eén tik van de klok, één flakkering van de kaars, één knik van het donkere hoofdje, één druppel uit de kraan, één woord, één zucht, één gebaar, één kneep in mijn hand... en de tijd zou weer stromen. Op dit moment kon alles nog kantelen, ten goede of ten kwade.

Meer dan wat ik had gedaan kon ik niet doen. Miljoenen kaarsen, duizenden heiligen, honderden schietgebeden, de sterkste engelbewaarders konden ons nu niet helpen. Als het grootste mirakel nu niet in ons gloeide, dan zou met dat ene piepkleine kindje de godganse wereld verloren zijn.

Ik wist niet of ik wel geloofde, maar hopen deed ik, zo hard dat het zeer deed.

De tijd mocht niet stokken, de tijd moest stromen, de tijd zou stromen, vol en warm, als vrouwenbloed.

http://users.pandora.be/marita.de.sterck/
www.queridokind.nl

De auteur ontving voor het schrijven van dit boek een werkbeurs van het Fonds voor de Letteren en van het Vlaams Fonds voor de Letteren.

Omslagfoto: Carla van de Puttelaar
Omslagontwerp: Brigitte Slangen

ISBN 90 451 0354 0 / NUR 284